EL BARCO DE VAPOR

El misterio del cementerio viejo

Fina Casalderrey

SM Joaquín Turina, 39 28044 Madrid

¡Déjate caer por fueradeclase.com un portal para gente como tú!

Primera edición: julio 2000
Tercera edición: enero 2003

Dirección editorial: María Jesús Gil Iglesias
Colección dirigida por Marinella Terzi

Título original: *O misterio do cemiterio vello*
Traducción del gallego: M.ª Jesús Fernández
Cubierta e ilustraciones: Manuel Uhía
© Fina Casalderrey, 1999
© De la presente edición: Ediciones SM, 2000
   Joaquín Turina, 39 - 28044 Madrid

Comercializa: CESMA, SA - Aguacate, 43 - 28044 Madrid

ISBN: 84-348-7289-7
Depósito legal: M-52845-2002
Preimpresión: Grafilia, SL
Impreso en España / *Printed in Spain*
Imprenta SM - Joaquín Turina, 39 - 28044 Madrid

A Rocío y a Marcos.

A Lúa, que ya se fue.

1 David, el detective

¡HOLA! Soy David, el detective. ¿Te acuerdas de mí? Donde yo vivo no hay colegio. Eso parece estupendo, pero no lo es. Total, hay que ir a clase en otro sitio. Bueno, algunas veces es divertido.

Tenemos una casa en la ciudad que se llama Segundo A. Sólo se puede entrar por dentro. Aquí, en la parroquia, porque este sitio se llama parroquia, también tenemos entrada por fuera. Por allí entran los desconocidos. La puerta es más grande y nosotros no sabemos si esas personas son gordas y no caben por la de dentro. Además, si entran por dentro, puede estar papá en calzoncillos y enfadarse. Un día entró un amigo de Quin y papá se tuvo que escapar corriendo al cuarto de baño.

El jueves papá trajo una máquina de lanzar agua muy fuerte. Es una pistola de disparar. Hay que apretar y lanza agua contra las escaleras de fuera. Primero eran negras. Después se pusieron verdes y ahora son blancas. Están bonitas.

La abuelabisa, que también se llama bisabuela y abuela solamente, no entra ni por fuera ni por dentro. Ahora está siempre dentro, menos el día de mi fiesta de Comunión, que salió y luego entró.

También tenemos una iglesia muy grande. Ya no es de don Manuel. Se marchó a otro sitio. Va a ser obispo; ésos son los directores de los curas. Don Manuel le regaló la iglesia a otro cura que no parece cura. Se pasea a caballo y juega al tenis con papá. Se llama don Felipe.

Mi iglesia es gigante. A veces se le pone encima una corona de colores, el arco iris, y parece una reina importante. Eso pasa cuando el sol lanza un rayo brillante por entre la lluvia.

Tenemos un cielo entero, un sol grande, muchas estrellas, manzanos, cerezos, hierbas altas y hierbas pequeñas, una fuente, una botica, dos tabernas... A la taberna de abajo nosotros no vamos nunca. Está muy lejos y hay borrachos. Hay borrachos que fuman, beben, juegan a las cartas y dicen pecados, y no tienen perdón de Dios.

Y cuando la profe nos manda colorear flores y pegarlas en el cristal de la ventana, es que es primavera, y también hay muchos nidos de pájaros que tienen huevos. De allí salen pájaros pequeñitos.

Mi gata Lúa no pone huevos. Pone bebés de gata que se llaman crías. Eso es parir. Primero esperan en la barriga hasta que la mamá quiera.

Cerca de mi casa está mi río. Los ríos viven siempre. La profe nos dijo que van a morir al mar. Era una broma. Mi río no está muerto. Es tan largo que llega al otro sitio donde está el colegio. Allí se pone muy amarillo. Parece pis.

La profe dice que tenemos que manifestarnos. Eso es bastante divertido. Hay que romper una sábana por un sitio y después coserla por otro. Encima se pintan letras negras o rojas muy grandes. Como lleva dos palos por los lados, es como dos banderas pegadas. Se llama pancarta. Para hacer la manifestación hay que llevar la pancarta. No se puede pasar delante. También hay que gritar. Después habla un señor por un embudo muy grande. Al final hay que aplaudir.

Un día fui con mamá, que se llama Flora como la mantequilla para hacer los dulces, a una manifestación de taxistas. Gritaban así:

¡Queremos seguridad y protección!
¡Alcalde, pedimos solución!

Mi padre no es taxista porque tiene un taller de carpintería. Los taxistas no son carpinteros. En la puerta ha puesto un letrero grande. Es como una pancarta pequeña que se enciende por la noche:

MUEBLES PEPE
ARTESANOS Y POR ENCARGO

También tengo un hermano, Quin. Antes era Joaquín. Y papá antes era Pepín. Quin casi nunca quiere jugar conmigo. Sale con chavales mayores y se van a sitios muy lejos. Las ruedas de su bici son enormes.

Estoy deseando que llegue la fiesta de los nueve años para alcanzar a mi novia Blanca. Ella ya tiene nueve. Nos vamos a casar cuando crezca hasta la puerta de la alacena. Allí se dio papá un golpe un día cuando estaba abierta y después se casó con mamá.

Blanca es muy lista. Nació en Suiza. Allí hay chocolate, vacas, nieve y relojes. También hay personas. Blanca estuvo en Suiza dentro de la barriga de su madre. Si hubiera estado dentro de un huevo, tendría que tener la cabeza muy pequeñita.

Hay personas que tienen muy poca cabeza. Incluso hay algunas que nacieron sin ella. Se lo oí decir a mis padres, que saben bastante.

—¡Que poca cabeza tiene Lola!

—Pues su marido no tiene ninguna.

Yo todavía no he visto a nadie sin cabeza. Creo que me daría miedo.

2 Un supermisterio

ALGUNAS veces Quin es bueno. Ya nos ha hecho en el ordenador los carnés de detectives de verdad.

Nosotros descubrimos todos los misterios. Esta vez vamos a tener que ir lejos de casa, al cementerio viejo. Creo que hay kilómetros de distancia. Bueno, no está tan lejos como la casa de la tía Lucha. La tía Lucha vive en el infierno.

Mis padres ya lo saben. Algunas veces vamos a visitarla.

—Si no vivieras en el mismísimo infierno, vendríamos a verte más a menudo —le dijo mamá una vez.

El misterio del cementerio viejo es un supermisterio. Es de dar mucho miedo, pero yo soy muy valiente y no me importa. Algo de miedo tengo..., pero muy poco muy poco.

En el cementerio viejo hace ya muchos años que no vive ningún muerto. Antes la iglesia estaba al lado. Después se la llevaron al sitio donde está ahora. Segurísimo que les tuvo que ayudar Supermán o Spiderman, o, a lo mejor, Dios, que tiene más fuerza que todos. Nuestra iglesia pesa más de cien kilos, que es muchísimo. Seguro que fue por eso por lo que don Manuel se la dejó aquí cuando se marchó. No podía ir tan cargado. Los obispos directores no van cargados con iglesias. Son muy importantes. Pero las iglesias se pueden cambiar de sitio, eso sí. Quin me ha dicho que la fueron llevando piedra a piedra. Yo no me lo creo. Quedaría toda rota.

Como ningún muerto quería ir a vivir a aquel cementerio sin iglesia, hicieron otro cerca de donde está ahora 'nuestra iglesia. Eso fue antes de que yo naciera, incluso antes de que naciera Quin. Hace miles de años.

Cuando los sitios tienen muchos años, allí nacen zarzas y no pasa nadie. El cementerio viejo ya no es un cementerio. Está lleno de zarzas de esas que pican, de piedras rotas y de árboles que no son como los de la huerta, no tienen manzanas ni nada.

Antes pasabas por allí y no oías ningún ruido. Ahora hay voces. Cuando el sol ya se va a esconder por detrás de la iglesia, que siempre se esconde por allí, se oyen voces que dicen cosas terribles. Y no se ve a nadie. Nosotros queremos descubrir ese misterio tan misterioso. Si allí no viven los muertos nuevos y los de antes son de polvo, ¿de dónde salen esas voces?

El profesor de religión nos ha dicho que cuando nos hagan la cruz de cenizas, que es un miércoles importante, entonces nos dirán:

Polvo eres y en polvo te convertirás.

Después de morirse, cuando pasa mucho tiempo, los muertos son de polvo y el alma que está dentro se marcha a otro sitio. No se queda en el cementerio. Los muertos de ese cementerio son todos muy viejos. ¿Serán suyas las voces que hemos oído? También pueden ser de fantasmas de los que vivían antes en los castillos.

Estas cosas están pasando desde hace bastantes días. La tía Sita, que vive cerca del cementerio, también está muy asustada. Un día le dijo a mamá:

—¡Ay, casi no me tengo! Hoy estoy muerta.

—Pues túmbate un ratito en el sofá —le contestó mamá.

Y es que, si se queda de pie estando muerta, se puede caer y con el golpe a lo mejor se mata completamente. Mamá tendría que llevarla al médico.

El trabajo de mamá es muy aburrido. Se va con el taxi a un sitio que se llama parada. No se puede mover de allí hasta que se lo pida algún señor o alguna señora. Papá se marcha al negocio. La carpintería también se llama negocio. Están los dos muy ocupados y no nos pueden ayudar a descubrir el misterio.

—Mamá, en el cementerio se oyen voces.

—Será gente que está limpiando, David. A los muertos hay que tenerlos contentos.

—Yo digo en el cementerio viejo.

—Venga, no me marees, ¡anda!

Es un caso tan complicado, que hasta mamá se marea.

3 La enfermedad de los traumatizados

T ODO este misterio de las voces empezó después de un día en que hubo una tormenta muy grande muy grande. Había rayos que ponían el cielo casi amarillo, como si tuviera fuego encendido. Luego, todo se volvía gris, sin forma de nubes. No era un gris bonito como el pelo de Lúa, mi gata. El viento soplaba entre los pinos y nos traía voces que salían del cementerio. No se entendía bien lo que decían. Yo las oí y se lo dije a Quin, que estaba conmigo.

—¿Sabes una cosa? Hay voces que salen del cementerio viejo.

Quin volvió la cabeza hacia mí y no dijo nada. Me fui a ver a la abuela. Tenía en las manos un collar de bolitas negras con una cruz. Se llama Rosario, como una niña de mi cole. Tampoco me hacía caso. Volví a mi habitación y me arrimé a Quin. Yo también pegué la nariz al cristal. Desde la ventana veíamos cómo se movían todas las cosas. Las antenas de televisión también.

—¡Arrea! Va a volar todo —gritó Quin mientras aplastaba un mosquito contra el cristal.

—¡Qué asco! Eres un cerdo —se lo tuve que decir. Quin tenía el mosquito entre las uñas y no lo soltaba.

Ese día no fuimos al colegio. El señor alcalde, que manda en todas las parroquias, dijo que no habría clase. Podía haber una riada.

Yo sé lo que es una riada. Es cuando el agua de los tejados, de las hojas de los árboles, de las aceras, de los montes, de las fuentes... se va toda al río. Como no cabe, el río se enfada y la vacía por sorpresa. Eso puede ser muy peligroso y hasta te puede traumatizar, que es una enfermedad muy difícil de curar.

—El señor Indalecio, el de la Casa Vieja, está traumatizado —dije mientras escribía redondeles con la nariz en el vaho de los cristales.

—A ver si os va a contagiar —me advirtió Quin mirando la lluvia—. No sé por qué tenéis que estar tanto con él. Ya sabes que mamá no quiere.

—El señor Indalecio no es malo —le expliqué.

—No, sólo es tan raro como que te nazcan pelos en las uñas.

—Hace poco que Blanca y yo descubrimos

cómo cogió esa enfermedad de estar traumatizado.

—¿Sí? ¿Y cómo fue?

—Es que ahora... ahora ya hablamos mucho con él. Nos cuenta cosas estupendas. Cuando no huele a vino, es muy simpático.

—¡Anda ya! ¿Qué cosas os cuenta ese pringado?

—¡No es un pringado! El señor Indalecio no está loco.

—¿No? ¿Y qué es lo que os ha dicho ese hombre del saco?

—Nos explicó lo que es una riada, para que te enteres.

—Una riada es una risa muy grande.

—¡Mentiroso! Una riada es una cosa de pena.

El señor Indalecio antes vivía en otro sitio. Un día llovió tanto que las nubes se olvidaron de cerrar el grifo del agua y el río se llenó. Vació el agua por encima de las casas. De la escuela también. El señor Indalecio salvó a muchos niños. Como no podía salvarlos a todos, pidió ayuda.

—¡Pequeños, fuera! ¡Pequeños, fuera!

Algunos murieron y ahora tiene dentro de la cabeza ese pensamiento. Como todos los pensamientos no caben, que hay que olvidarse de algunos, los tiene muy apretados y le duele. Está traumatizado. Por eso siempre anda con gabardina y con botas grandes de capitán y nunca se baña para no quitárselas. Piensa que son su propia piel. Y la piel sólo la mudan las culebras. El señor Indalecio huele raro.

La gente le regala ropa. No se la quiere poner y la va a vender a la feria con otras cosas que encuentra por ahí. Cuando no tiene nada que vender, pide limosna. Es mentira que sea el hombre del saco. Bueno, tiene un saco, pero es para meter cosas, no para esconder niños ni niñas ni nada de eso.

Pues el día ese que llovió tantísimo no pasó nada. Al día siguiente se seguían oyendo voces raras junto al cementerio viejo. Sin el viento fuerte no llegaban hasta casa. ¡Salían de dentro, seguro! Blanca y yo estamos investigando lo que pasa. Hasta se lo contamos al señor Indalecio, que antes era cubano de Cuba.

—A lo mejor, en el mismo avión que yo, vinieron las diosas que había allá. Y, como vieron que el cementerio estaba deshabitado, se lo quedaron para ellas —nos dijo.

—¿Diosas de cementerio? —le pregunté.

—Sí, son diosas muy hermosas que tienen túnicas blancas muy bonitas, con gatos bordados

en oro que parece que están vivos. Son negras y mandan en la Muerte.

—¡Mentiroso! —le gritó Blanca—. La Muerte no existe, no anda por ahí como los caballos.

—La Muerte es una bruja mala que se disfraza de buena para robar la vida de las personas —nos explicó él muy serio.

—Pues yo nunca la he visto —se enfadó Blanca.

—Es que ahora las diosas no le dejan que se disfrace. Tiene que tener siempre forma de esqueleto. Así la gente huye de ella y ya no les puede hacer nada.

¿Será la Muerte la que habla en el cementerio viejo?

4 *Desde el muro del cementerio*

—¿Y si en el cementerio todavía viven algunos muertos antiguos que no se han convertido en polvo? ¿Y si se aburrían de estar callados tantos años?

—No sé, David.

—¿Investigamos ese misterio?

—¡Claro! Somos detectives, ¿no?

—Tenemos que entrar allí.

Blanca ya había ido conmigo muchas veces hasta el cementerio, pero nunca habíamos entrado. Allí hay una verja negra oxidada. Desde la verja se ve todo lleno de zarzas y escombros, que son piedras grandes muy feas. Están todas rotas y sucias. No parece un cementerio ni nada. Para ser cementerio de verdad tendría que tener flores bonitas, velas encendidas, aceras y una fuente. Y éste ni siquiera tiene señoras rezando.

Por el muro de fuera también hay zarzas con moras. Blanca sabe subirse. Es la más lista de mi clase. Yo también soy muy listo.

En nuestra clase hay una niña que siempre tiene piojos. Se llama Raquel. Algunas Raqueles no tienen piojos ni garrapatas ni nada de esas cosas asquerosas. Son guapas. Bueno, bastante guapas. Tanto como Blanca, no. Blanca es la más guapa de todas.

La profe nos dijo que debemos ducharnos, que si no nos lavamos podemos acabar cogiendo garrapatas, que son vampiros chupasangres que esconden la cara contra la piel de los animales o de las personas. Se alimentan así. En la parroquia hay un perro que se llama Tor y tiene garrapatas. El señor Indalecio, algunas veces, le da comida y Tor le lame la rayas negras que tiene en las manos. Después él le quita esos granos tan raros de la piel. Tor no tiene familia. Nosotros, a veces, también le damos de comer. Cuando termina, mueve al rabo y nos mira.

Una vez mi padre nos preparó una caña hueca para las moras. Cuando él era un niño, porque hace muchos años mi padre era un niño..., hizo un tubo con una caña gorda. Allí dentro echaba moras y azúcar, y las espachurraba con una vara delgada. Después chupaba la vara y bebía eso. Y es cierto que está rico.

La primera vez que fuimos a coger moras al muro del cementerio ya llevábamos el tubo. Lo que pasa es que mamá se pone un poco histérica, que también se dice loca, si no lavamos las moras antes de comérnoslas. Así ya es un lío.

—Por las moras andan muchos bichos asquerosos. Hay que lavarlas, hay que lavarlas...

Repite tanto las cosas que papá dice que parece un loro de repetición. Los loros de repetición tienen la nariz muy grande, por eso mamá se enfada.

Desde el muro del cementerio se ve lo que hay dentro. Nosotros sólo veíamos muchas zarzas y piedras, todo mezclado como en las selvas. Eso era antes de que se oyeran las voces. Como no había caminos ni fotografías como en el cementerio nuevo, nosotros no nos habíamos fijado mucho. Por eso le tuve que preguntar a Quin:

—¿De dónde saldrán las voces?

—No seas bobo, David. No hay nada. Como no hablen las piedras...

—¡Bah! ¡No digas tonterías, Quin! Algunas veces pareces el señor Indalecio.

Es cierto. Un día que debía de estar muy traumatizado, el señor Indalecio me dijo:

—Las piedras cuentan historias de hace muchísimos años.

Me reí. De sobra sé que ni siquiera hablan los señores de piedra, que son estatuas, y eso que tienen forma de señores de verdad.

Quin no me creía, pero estaba allí un amigo suyo y le dijo:

—Lo que dice tu hermano es cierto. Te juro que pasé por allí y oí cosas rarísimas. Como si hubiera un montón de personas hablando a la vez.

Quin, al principio, no quería hacerle caso, pero ahora ya sabe que es verdad. Él también las ha oído.

—Ni se te ocurra ir al cementerio viejo, ¿me entiendes? —me gritó—. Está lejos y tú todavía eres pequeño.

No me gusta que me llame pequeño. Pensé en un pecado de insulto y se lo llamé con el pensamiento.

En el cementerio viejo hay voces. Son voces de almas, de espíritus invisibles, de fantasmas o de muertos en polvo. De señores vivos no pueden ser. No se ven ni nada. Son voces muy raras. Están muy cerca del muro, y parece que vienen de lejos. A lo mejor salen de debajo de la tierra.

—No vayáis al cementerio. Con los muertos no se juega —volvió a repetirnos el amigo de Quin.

—¡No queremos jugar con ellos! Sólo queremos verlos —le contestó Blanca.

Seguro que está asustado, y Quin también. No son tan valientes como yo. Yo quiero ver a los espíritus. Si son sombras de humo también quiero verlas. Eso es lo que tenemos que descubrir antes de que se asusten todos los vecinos y se quieran marchar de la parroquia. Porque de momento todavía hay mucha gente que no lo sabe. Es casi un secreto de detectives.

5 *La abuelabisa está muy sorda*

A la abuelabisa no le puedo contar nada. No controla, que eso es decir tonterías. A las personas mayores, cuando tienen muchos años, por lo menos cincuenta o cien, les puede entrar la enfermedad de la nostalgia. No es demasiado grave. Cuando la abuelabisa está enferma de nostalgia, puede ser que hable de cosas tristes o divertidas. Además, la bisa está muy sorda. Incluso más que un muro. Me dijo Quin que la bisa está más sorda que una tapia. Una tapia es un muro, lo sé. La quiero bastante y no quiero que se ponga traumatizada como el señor Indalecio el Calvo. Algunas veces dice cosas un poco raras. También pone su tele altísima, casi tanto como pone Quin la música de su habitación. Esos ruidos me dan golpes en el estómago.

—Abuela, ¿estás sorda? ¡Pon la tele más baja! —le dije un día que me chillaban los oídos.

—¿Gorda? Bastante me importa a mí ahora estar gorda. Sí, hombre, sí, que me voy a poner una faja. ¡Era lo que me faltaba!

—¡Que tienes la televisión alta!

—Que tengo corazón de santa, ya lo sé.

Otras veces pone la tele bajita, sin voz, y se queda muy quieta con las gafas en la punta de la nariz y con los ojos mirando cómo las caras hablan y se ríen sin hacer ruido.

A la abuela sólo le gusta deshacer jerséis. Mamá la deja y ella hace pelotas de lana. Antes volvía a hacer otros jerséis; ahora no hace nada de nada. No sabe.

—No sirvo para nada. A ver cuándo vienen a llevarme.

Yo no quiero que vengan a llevársela.

No puede estar sola mucho tiempo, por eso está Antonia en casa. Así la cuida. Cuando se va a su casa, Antonia se pone toda presumida, y, en cambio, mientras está con la abuela va muy fea. Algunas veces es buena y otras no.

Cuando llega papá y va a ver a la bisa, ella le dice cosas:

—Es mejor que me llevéis a una residencia. Allí no os daré trabajo.

A papá se le pone cara de beber zumo de limón sin azúcar y le da un beso grande. No quiere que se vaya a una residencia. Allí hay personas desconocidas. Además, a la bisa la tenemos que cuidar mucho porque nació con el siglo. Eso poco a poco se va convirtiendo en una enfermedad. Un día se cayó en su habitación y estuvo mucho tiempo en el suelo. No sabía levantarse. Mamá se lo contó a papá y lloró. Ahora, todas las mañanas antes de ir al cole, la voy a ver y le doy un beso cerca de los bigotes.

—Ya no puede quedarse sola.

—Se está volviendo una niña pequeña.

Eso es lo que dicen papá y mamá, pero es mentira. La abuela tiene muchas arrugas y, aunque casi no sabe andar, se le nota que es vieja. Tiene un bastón de hierros que se llama andador, y se tiene que agarrar a él para moverse. Parece Robocop. También tiene una silla de ruedas. No le gusta sentarse en ella. La silla sería bonita si no fuera porque... Bueno, la silla de la abuela tiene un orinal dentro, como si fuera un váter con ruedas.

En la tele de la abuela ponen historias verdaderas que son muy tristes. Son de mamás que desaparecen. La hacen llorar y yo no quiero que llore. Después tiembla mucho y me pone nervioso.

—Abuela, no quiero verte llorar.

—¿Eh?

—¡No quiero verte llorar!

—¡Ay, mi niño! Claro que quiero. Ya hace un

buen rato que tengo ganas de orinar, pero tú no eres quien se ha de preocupar de estas cosas.

Un día, ya se había ido Antonia y estaba yo solo con ella. La ayudé a ir al váter. Allí cierra la puerta.

—Espera a que te llame.

Tengo que esperar fuera a que me avise. Algunas veces se escuchan ruidos que parecen truenos, pero son... son... Es que no sé cómo tengo que decir pedos para que no sea feo. A mí un día se me escapó un... uno de esos en clase y todos se empezaron a reír tapándose la nariz. Yo también me la tapé.

—¡David, abre! —me gritó.

Yo fui para darle el andador de Robocop. Olía mal. Entonces cogí una colonia que hay en su baño y apreté para que saliera en forma de nube.

—¡Ay, Dios me valga! Esto...

Muchas veces la abuela habla sola y dice cosas que no se entienden. Después suspira y añade:

—¡Ay! ¡Acuérdate de mí! —y mira hacia el techo, pero allí no hay nadie.

Creo que la abuela habla con Dios. Se quiere ir al cementerio. Yo quiero que se quede con nosotros, por eso no le cuento que en el cementerio viejo hay voces. A lo mejor quiere ir allí para hablar. Así no estaría aburrida tantas horas.

La habitación de la abuelabisa es bastante bonita. Tiene cama nueva, tele, váter, silla de ruedas con orinal, andador y... unos pañales grandísimos. Se los pone por la noche. Sola no puede ir al váter y se le escapa el pis en la cama.

Si se va al cementerio, tendrá que hablar con los muertos que no conoce, o a lo mejor sólo podrá hablar después de una tormenta grande... Eso es lo que todavía no sabemos.

Algunos días no está tan sorda. Entonces le gusta hablar conmigo. Me agarra por el cinturón y no deja que me vaya.

—¡Ay, niño mío! Cualquier día te quedas sin la bisabuela Dolores.

—¿Te vas a ir? —le grito fuerte.

—¡Me llevan! Yo sola ya no sé ir a ninguna parte.

—¿Adónde te llevan, mentirosa?

—Al cementerio...

—¡Bah! Abuela, allí sólo viven los muertos.

—A mí ya me falta poco.

—¡Mentira! Tú estás gorda para ser esqueleto. Casi pesas tanto como una iglesia. Aún te falta mucho.

Como se pone un poco triste, le doy un beso y le digo:

—A mí me gustan las abuelas gordas.

Y me escapo para que no me bese tanto. Algunas veces está muy fría y me da corriente, que son escalofríos.

Los esqueletos de huesos tienen dientes. Los dientes de la abuela son comprados. De noche los pone en un vaso. Eso da un poco de asco. Una vez se le rompieron y papá le compró otros. La abuela no los quiso y le tuvo que pegar los viejos como si fueran una figura de las de adornar. Está un poco rara. Tampoco quiere gafas nuevas ni quiere la habitación nueva que tiene; por eso le tuve que decir:

—Abuela, después, cuando tú te mueras, yo me vengo aquí...

—¿Que ganó el Madrid? Antes me gustaba el fútbol. Ahora ya no hay cosa que me interese.

La abuela no está contenta. Ahora ya no es jubilada. No trabaja, pero tampoco va a cobrar. Va mamá. Ella no quiere el dinero. Total, no puede ir de compras ni nada. Tiene ganas de morirse, pero yo no sé si eso es divertido. Bueno, a lo mejor... Las voces del cementerio algunas veces se ríen..., pero también dan gritos y golpean en sitios. Ayer entramos por primera vez desde el muro de la verja negra. No queremos que lo sepa nadie.

6 ¡Fuimos al cementerio viejo!

Estos últimos días ha llovido a cántaros. Eso es llover muchísimo. Yo tenía miedo de una riada como las de traumatizar.

Ayer, en un rato que escampó, salí fuera a jugar con Blanca. Bueno..., a jugar no... ¡Fuimos al cementerio viejo! Queríamos saber si las voces seguían hablando y nos acercamos a la verja negra.

—¿Tú oyes algo, Blanca?

—¡Espera! Tan, tan, tan, tantán. ¿Oyes eso?

—Sí, alguien debe de estar tocando el tambor.

—Pues es dentro del cementerio. Tenemos que entrar.

Empujamos muy fuerte aquella puerta de hierro. No se abrió. Tenía tierra dura y muchas hierbas gordas pegadas. Las manos se me quedaron del color de la caca de Lúa, pero no era. Miré dentro. No había nada. Voces tampoco. Sólo se sentía un silencio que me hacía unos ruidos raros en los oídos, como si tuviera muchos grillos dentro. También sonaban los tambores.

—¿Y si vamos por el muro?

—¿Y para entrar?

—Saltamos...

—¿Tanto?

—A ver...

Subimos por un sitio secreto que ya conocíamos de cuando vamos a coger moras en la parte alta del muro. Lo que nunca habíamos hecho antes era saltar dentro. Tuvimos que andar por encima un buen rato hasta encontrar unas piedras altas. Bajamos con cuidado. Primero salté yo. Después, Blanca. Al caer con los pies en una poza, me llené los pantalones de barro y me encharqué las botas de agua sucia. De repente empezó a llover. Los tambores sonaban más fuerte. Seguro que estaban enfadados por tener que tocar bajo la lluvia.

—Tan, tan, tan, tantán, tan, tan... ¿Oyes, David?

—Sí... —dejé de respirar para escuchar mejor.

Fuimos andando muy despacio. Todo estaba lleno de barro. Las botas se me enterraron hasta los cordones. Se llenaron de tanta masa de tierra que se pusieron más grandes. A mí no me importa estar manchado, lo que pasa es que mamá se pone histérica y parece que no controla.

Los tantán se acercaban a nosotros.

Miré hacia los lados sin mover la cabeza y vi a los esqueletos bailando y tocando el tambor. Blanca también. Queríamos verlos sin que ellos nos vieran a nosotros y así no se veían bien. Yo no sabía con seguridad si los muertos están contentos o enfadados. Y mucho menos cuando son muy antiguos.

—¡Ay, Blanca! Los tambores suenan cada vez más cerca.

—No te preocu...

No le dio tiempo a terminar de hablar. Se cayó. Pensé que los muertos del cementerio se la iban a llevar hacia dentro de la tierra. Me paré. Alguien me tiraba del chándal, y un pegamento invisible, que no se ve, se me metió entre los labios y no me dejaba gritar. Poco a poco, en el sitio donde se había caído Blanca empezó a levantarse un espíritu que tenía la cara muy oscura. Cerré mucho los párpados para no pensar.

—Davi, ¿tienes un *kleenex*? Se me ha llenado la boca de barro.

Al oír la voz de Blanca abrí los ojos. Me di cuenta de que aquella cosa rara que me sujetaba era una zarza que se había enganchado en mi chándal. Los labios se me despegaron y le dije:

—Pareces una diosa negra del cementerio.

—¡David! Dame algo para limpiarme.

Como no tenía nada, estiré la manga de mi chándal y se limpió los ojos y la boca. Después ya era Blanca con cara sucia, y no pasó nada. Yo soy muy valiente.

—¡Quieto, Davi! Hay alguien ahí —dijo Blanca, mientras se sacudía el chándal.

—¡Ay! ¿Qué hacemos?

Unas plantas raras se movían mucho. Era seguro que allí había alguien escondido.

—Estamos a punto de conocer a los primeros fantasmas —susurró Blanca.

Sentí que me crecía el corazón. No me dejaba respirar. Las plantas eran grandes, iguales que las de la selva de las películas. Pensé que podía ser un espíritu que estuviera escondido. También podía ser un león o una serpiente venenosa gigante, que en la selva las hay. Cogí a Blanca de la mano para que no tuviera miedo. Sentía cómo la caca de los hierros de la verja y el barro se mezclaban en nuestras manos. De repente, un espíritu peludo saltó encima de nosotros.

—¡Aaaaaah! —tuve que gritar fuerte para que el corazón no me siguiera creciendo en el pecho. Si los gritos se te quedan dentro, se hincha.

—¡Lúa! ¿Qué haces aquí? —dijo Blanca.

Era Lúa, nuestra gata, que nos había seguido hasta el cementerio.

—¿A qué has venido, tonta? —le grité bajito

para que no me oyesen los espíritus de verdad—. Ahora quédate con nosotros y no nos descubras.

Estiró las orejas y me lanzó una mirada. Como Lúa siempre me entiende, no se movió de nuestro lado. El sonido de los tambores se oía cada vez más cerca. Dejé que Blanca fuera delante, para que no se quedara sola. Enseguida dio la vuelta y empezó a saltar y a gritar.

—¡Aquí, David, aquí! ¡Deprisa, ven!

Yo quería correr para huir. Blanca me agarró una mano y fuimos a conocer el misterio y... ¡Eran las gotas de agua que caían desde el tejado de una caseta vieja! Tan, tan, tantán, tan..., golpeaban contra una lata grande.

Ya sé que eso también fue un descubrimiento, pero no me quedé contento. Blanca, tampoco. No era importante. Ni siquiera era de detectives. Nos fuimos otra vez hacia la salida. Desde la iglesia nos llegaba la música de dar las horas. Enseguida empezaron a sonar las campanadas. Las contamos.

—Son las ocho, Blanca.

—Es la hora a la que empiezan a hablar los espíritus.

—¡Vamos, rápido!

—¡Lúa, ven!

Justo cuando saltábamos el muro hacia la calle, las voces empezaron de nuevo:

—¡... rastro!

—¡... era!

Decían cosas muy raras y echamos a correr. No le dijimos a nadie que habíamos estado solos en el cementerio. Lúa no iba a contar nada. Sólo maúlla y no la entenderían.

Fue la primera vez que entramos en el cementerio viejo. Yo me había puesto un poco nervioso.

7 ¿Estás mareada, Lúa?

Estaba solo en casa. Bueno, no estaba solo del todo, pero la abuelabisa no me habría podido salvar si hubiera un peligro. No puede correr detrás de las almas, ni de los fantasmas, ni de los muertos del cementerio. Además, aunque la silla de ruedas corra mucho cuesta abajo, la abuela no sabe conducirla.

La señora Antonia había hecho tortilla de patatas. Olía muy bien. A mí las tripas me daban gritos. Tenía hambre. Comí trocitos de tortilla del borde. Si parecía que habían sido los ratones, no me reñirían. En ese momento entró Quin. Me riñó con voz fea, igual que si le saliesen bichos por la boca.

—¡Guarro! ¿Qué haces?

—¡Ay! —me lo tragué todo—. ¿Qué pasa? No venías y yo tenía mucha hambre.

—Pues haber cogido un trozo y no, así, toda pellizcada. ¡Puerco!

Cenamos muy enfadados. Papá y mamá no estaban. El viento soplaba muy fuerte. Golpeaba en los cristales. Podían ser brujas que querían entrar. Llovía mucho. Estaba a punto de llenarse nuestro río. De repente se oyó un ruidazo, como si se rompiera el cielo en dos mitades.

—¿Qué pasa ahí? ¿No has oído, David?

—Sí, un trueno muy fuerte.

—No. Esto ha sido aquí abajo. Ven, vamos a mirar.

Pensé que sería un rayo que había caído en nuestro sótano. Yo no sé si los rayos siguen vivos mucho tiempo. Bajé muy agarrado a Quin.

—Ha debido de ser un perro revolviendo en la basura —dijo Quin—. Déjame que encienda la luz.

¡Era Lúa! Estaba debajo de la escalera de mano. No pasaba nada. Quin se la quitó enseguida ¡y Lúa no echó a correr ni nada!

—¡No te muevas de su lado, David!

Quin se fue corriendo al teléfono. Yo lo escuché. Estaba triste de verdad, sólo que yo no le podía ver bien la cara.

—¿Información? Necesito urgentemente el teléfono de un veterinario.

—...

—¡No se rían! Mi gata se está muriendo.

Yo estaba con Lúa, que movía las patas sin querer levantarse del suelo. Le dije cosas:

39

—Ya no tienes la escalera encima. ¿Por qué no sales corriendo? ¿Estás mareada? ¡Venga, bonita, levántate!

Quin lloraba. Lúa estaba muy mal. La acaricié. Ya sólo movía un poquito la punta del rabo. Pero no tenía sangre, así que no podía morirse.

—Ya pasó, Lúa bonita. No te asustes, ¿vale? No ha sido nada.

El pelo de Lúa se hizo cada vez más suave, más suave... Parecía nata de los pasteles. De repente, los ojos se le pusieron muy raros muy raros. Se le volvieron completamente blancos y no brillaban nada.

—David... —Quin me asustó.

—¿Qué?

—Lúa está muerta. La escalera le ha partido el cuello.

—¡No, mentiroso! Si eso fuera verdad, tendría la cabeza en otro sitio —me enfadé.

Mamá y papá no llegaban y Quin se puso a hacer un hoyo junto al naranjo para enterrarla.

—¡No la entierres, Quin! Sólo está mareada.

—David, está muerta. Lúa ya no está aquí.

—¡Espera! Debajo de la tierra no podrá respirar.

Deseé que papá llegara a tiempo. Y llegó. Antes de que apagase el coche, ya le había abierto yo la puerta.

—¡A Lúa se le ha caído la escalera en la cabeza y Quin la quiere enterrar! ¡Papá, rápido, cúrala!

Pensé que si papá la tocaba, Lúa sanaría. Papá meneó la cabeza y me mandó subir. A mí me picaba la garganta, pero no podía llorar si quería que Lúa resucitara. Resucitar es sanar después de morir. A lo mejor eso es lo que está pasando ahora en el cementerio viejo con los muertos antiguos.

Mamá apareció en casa. Yo no la oí llegar. Estaba muy rara.

—Venga, David, ayúdame. Hay que limpiarlo todo. Mete en esa bolsa las cosas de Lúa. Las voy a tirar a la basura.

—No, mamá. No tires nada. Lúa va a volver, ya lo verás.

—Esos cojines también, David. Están llenos de pelos.

Mamá parecía más sorda que la abuela. No me hacía caso. Estaba llenando una bolsa grandísima con latas de comida, cojines, la palangana roja que era su váter; unos ratones blancos de mentira, que eran sus juguetes; los platos donde comía...

—¡Para, mamá! —grité.

No me escuchaba. Se puso a echar lejía por todas partes, como aquella vez que Lúa enfermó y lo manchó todo de sangre y caca.

—¡No quiero este olor a gata!

Me escapé corriendo a mi habitación. Cogí mucho chicle de menta. Me llené toda la boca. Lo mordí mucho tiempo pensando que era mamá. Busqué las fotos de Lúa. ¡Las tenía a cientos!: Lúa con sus bebés, Lúa cuando era pequeñita, Lúa saltando, Lúa comiendo, Lúa durmiendo y roncando... Con el chicle las fui pegando por mi cuarto. Puse una silla encima de mi mesa. Me subí y pegué todas las fotos. Después me acosté. No podía dormir y estuve contando todas las cacas de mosca de las paredes.

8 *Las diosas del cementerio*

ENSEGUIDA oí cómo unas piedrecitas golpeaban en el cristal de mi ventana. Me levanté y
me acerqué despacio. Allí fuera estaba el señor
Indalecio con su gabardina sucia y sus botas de
capitán. Llevaba a Lúa en brazos. Me hizo gestos
con la mano para que bajase. Me puse las botas,
abrí la ventana y bajé por una rama del cerezo.
Yo ya no me acordaba de Quin ni de Blanca, ni
de papá, ni de mamá. Aquel sitio no parecía
nuestra parroquia.

—Coge nueve granos de maíz —me pidió—.
Vamos a salvar a Lúa.

Pensé que serían para darle de comer cuando
sanase.

—Lúa no es una gallina —le dije.

Se calló; entonces cogí nueve *conguitos*. El chocolate a Lúa le gusta.

—Mantente en silencio hasta que lleguemos.

—¿Adónde?

—No preguntes.

Me puse al lado del señor Indalecio. Me agarré a su gabardina. Llevaba a Lúa en brazos, pero yo no la veía. Teníamos que ir con ella al cementerio viejo. Allí estaban unas diosas negras muy guapas. No tuvimos que saltar el muro. Una diosa nos abrió la verja negra.

—Hola, soy Ollá —nos dijo.

El cementerio no estaba como cuando lo vimos Blanca y yo. Había un jardín bonito y una habitación que parecía la mitad de una pelota muy grande. Tenía ventanas pequeñas, de tres lados como los quesitos de las cajas redondas.

Las manos de Ollá eran de plata. Eso era muy raro. Las movía como si fueran de carne. Tenía la cara muy arriba. No se la veía bien. Me fijé en su vestido. Daba un poco de miedo. Llevaba gatos con ojos de verdad que brillaban.

Yo tenía muchísimo frío. Al pisar los cordones de las botas, iba tropezando continuamente. Me descalcé.

Aquella diosa del cementerio empezó a hacerme preguntas muy difíciles. Si fallaba, Lúa no se curaría. Tuve que contarle que a Lúa la había encontrado Quin cerca de ese mismo cementerio cuando era pequeñita. Eso es verdad. Después me preguntó números de la tabla, y de algunos no me acordaba.

Se puso a bailar con Lúa en brazos. Parecía una diosa loca. Las paredes estaban llenas de cuadros de gatos jugando con naranjas. Cada vez hacía más frío. Se oía la lluvia.

—¡Aaaachííís! —estornudé.

La diosa se enfadó y me riñó.

—¡Silencio! Las gatas tienen siete vidas. ¿Cuántas ha gastado Lúa? ¡Venga, tienes que acordarte!

De repente, a Ollá le empezaron a crecer las uñas de plata, su pelo negro se volvió gris y se le encogió todo el cuerpo. Se encogió mucho. Los ojos... Los ojos se le pusieron redondos y amarillos. ¡Ella era Lúa! Y Lúa hablaba como yo. Estaba enfadada y no se dejaba acariciar. Bufaba y sacaba las uñas.

—No me gustan las croquetas, David. No quiero que me bañes nunca más. Sé lavarme yo sola. No me encierres en el sótano, quiero dormir con la puerta abierta. ¿Por qué no te comías los ratones ni los lagartos que te dejaba junto a la escalera? Yo cazaba para ti.

Estaba muy enfadada conmigo.

Observé los rayos que entraban por las ventanas. Cuando volví a mirar a Lúa, ya no estaba. Volvió a aparecer Ollá, dando gritos.

—¡Basta, diosa de Bubastis, resucita a Lúa! Te

lo pido yo, que soy la diosa del cementerio. ¡Mau, Mau!

Y maullaba de una manera muy rara, como si fuera una gata de otro país. Después me miró a mí y me dijo:

—¡Venga, dime todo lo que sabes de gatos! ¡Rápido!

Yo tenía que decirle todo lo que me había contado el señor Indalecio.

—Hace noventa años... Bueno, novecientos mil años... No sé... Hace muchísimos años aparecieron los gatos en un sitio que se llama África... Eran salvajes... Cazaban de noche como los vampiros... Algunas personas creían que eran dioses...

—¿Qué más?

Yo no sabía decir nada más y entonces no sé qué pasó. Todos los gatos de Ollá, que ya no era guapa, salieron de su vestido. Venían a atacarme y yo no podía huir. Tenía los pies atados.

—¡¡Aaaaaaah!! —grité.

—¿Qué pasa, David?

Abrí los ojos. Era una diosa con cara de mamá, con voz de mamá. Era mamá que venía a taparme. Yo tenía las sábanas enrolladas en los pies y no podía moverme. Le conté trocitos de mi pesadilla, porque todo había sido una pesadilla, y me acarició. De vez en cuando abría los ojos para comprobar que seguía siendo ella. Se rió y se apartó el pelo de la cara. Me fijé en su boca, en su nariz pequeña, en el pelo... y descubrí que es guapísima. Se metió conmigo en la cama y se me pasó el susto. Mamá sigue siendo un hada buena que se lleva las pesadillas. Lo que pasa es que por la mañana me riñó.

—¿Lo ves, David? No te puedes creer todo lo que te cuentan. No quiero que vayas a ver al calvo de la Casa Vieja. Te llena la cabeza de pájaros.

El señor Indalecio no tiene pájaros que entren en mi cabeza. Mamá todavía no ha oído de cerca las voces del cementerio viejo. La pesadilla ya terminó y Lúa sigue viva. Como soy valiente y detective, tengo que descubrir el verdadero misterio. También pueden ser las diosas del cementerio.

9 En la casa del difunto

POR la mañana estuve todo el tiempo con Lúa.
Primero busqué de verdad todas las fotografías
y las pegué por mi habitación con celo de pegar.
Hay una en la que parece una bailarina de la
tele. Está de pie, como yo. Hay otra en la que
está jugando con el agua de una manguera. También pegué mis dibujos de Lúa. Tenía ganas de
adornar las paredes. Lo que pasa es que no tengo
tantas como en el sueño. También Quin tiene
unas señoras a las que se les ve... Bueno, se les
ven esas cosas que les nacen a las novias.

Me quedé un rato en la habitación mirando
las fotos. Después llamé a Lúa.

—¿Ves, Lúa? ¿Te gusta?

Lúa hizo miau, que quiere decir que sí, y la
cogí en brazos.

—Nos vamos afuera. ¿Vale?

No había cole y no quise ir a jugar. Lúa tiene,
de verdad, un pelo supersuave. Es mucho más
suave que mi alfombra nueva. Me senté en las
escaleras de fuera. Así Lúa no se me resbala.

Roncaba. Yo le pasaba la mano por el lomo muchas veces. Se quedó dormida, pero Lúa ronca igual cuando está despierta. También le hice cosquillas en el cuello, por dentro del collar de no tener piojos. Le gusta mucho que le rasque detrás de las orejas. Algunas veces levanta la cabeza, me mira y hace miau muy bajito. Vuelve a cerrar los ojos y sigue roncando.

A Lúa, si se le posa una mosca en la cabeza, aunque esté durmiendo, mueve las orejas hacia todas partes hasta que la mosca se marcha. Papá, cuando está roncando en el tresillo y se le pone una mosca en la punta de la nariz, mueve la boca como si fuera un conejo comiendo, sopla como Lúa cuando se enfada y boxea contra el aire. Si lo veo, me río y echo las moscas hacia él con las manos para que lo vuelva a hacer.

Yo estaba muy tranquilo acariciando a Lúa y espantándole las moscas. Le tiembla el cuerpo con las cosquillas que le dan. De pronto apareció un coche. Era Pedro, mi mal amigo. Lo traía su madre. La señora Manuela tenía que ir a un velatorio.

Un velatorio no es un sitio donde se venden velas ni nada. Un velatorio es donde está un señor muy mayor dentro de una caja de madera brillante. Alrededor hay sillas y personas sentadas. También hay sillas vacías y gente que entra y sale. En el velatorio hay dos cirios grandísimos. En una silla está una señora vestida de negro que tiene muchos mocos. Se suena continuamente. Toda la gente le tiene que dar besos al llegar. Primero hay que besar a un portero que está en la puerta y tiene un uniforme de corbata negra. También hay que darle palmadas en la espalda para pedirle permiso. Él cierra los ojos y mueve la cabeza para decir que sí. Está triste.

Yo lo sé. Un día quise ir con papá a un velatorio y era así.

—Anda, David, espérame en el coche, que sólo voy a dar el pésame.

—¿El pésame? Enséñamelo.

—Mira, no me marees. Enseguida vuelvo. Son cosas de mayores.

—Así aprendo, papá.

—Anda, no se lo digas a tu madre, que me come vivo.

Eso era mentira: mamá nunca se comería a papá, y menos sin cocinar. Papá es muy duro y muy peludo. Quin también quiere tener pelo en la cara, por eso se afeita. Tiene cortes pequeñitos cerca de las orejas.

Entré con papá en el velatorio después de que él firmara unas hojas en la entrada. Me quise acercar para saber por qué se colocaban alrededor de aquella caja. Estaba bastante oscuro y se veía mal. Me fui arrimando hasta que vi a un señor muy blanco con las manos juntas como si estuviera pensando o durmiendo la siesta. Papá duerme con las manos detrás de la nuca, que se llama así. El señor de la caja, alrededor de la cabeza, tenía un paño atado que le tapaba la barbilla y las orejas.

—¿Está durmiendo? —le pregunté después a papá.

—Está muerto, pero no quiero que pienses en eso.

—¿Cuándo vamos a casa del difunto?

—Ya hemos ido, David. Era ése.

—¡Ah!

Yo era bastante pequeño. Aún no había cumplido los ocho años y no sabía que un difunto es un muerto. Segurísimo que se murió porque le dolían mucho las muelas. Por eso tenía atado aquel paño blanco.

El señor que estaba muerto no se movía. Seguro que el alma ya se le había marchado al cementerio. Fuera de la habitación aquella también había gente. Algunos hablaban alto y decían cosas de risa. Yo también dije una cosa de risa. Papá se rió.

—Papá, ¿tú crees que allí respira?

—¿Quién, David?

—El señor de la caja.

—No. Es un cuerpo muerto.

—¿Y no se acuerda de nada?

—Su alma ya no está aquí.

—¿Dónde está?

Papá no me contestó y yo tuve un poco de miedo de encontrarme con el alma de aquel señor cuando se estuviera yendo a su cementerio. Ahora ya soy mayor, no tengo miedo. Sólo tengo un poco de susto algunas veces. Todavía no sé con seguridad cómo son las almas del cementerio.

Esta vez lo tenemos que preparar todo bien para que no nos falle. Queremos ver las almas de los muertos antes de que nos vean ellas a nosotros. Si son fantasmas, o espíritus, o esqueletos, también los queremos ver.

10 Mi mal amigo Pedro

Mi mal amigo Pedro, que un día me mordió, algunas veces se queda en mi casa. Es un poco burro. Por ejemplo, se cree que los tomates nacen en los supermercados de la ciudad.

Pedro es tonto. Hace barbaridades, que son las burradas más grandes de todas. Por su culpa tuvimos un lío. Le conté lo del misterio del cementerio viejo.

—Pedro, ¿a que tú nunca has visto los espíritus de los muertos?

—Los espíritus ya nacen así. No son muertos enterrados.

—¿Que no? Ven conmigo al cementerio y ya verás.

—Prefiero jugar en el gallinero.

—Eres un miedica. ¿Sabes?

—¡Eso es mentira! No tengo miedo.

—Pues ven conmigo al cementerio.

—¿Cuándo?

—Después de comer. No le digas nada a mamá.

Mientras no era la hora de comer, estuve jugando con Lúa. Pensé en Blanca. Habría preferido ir con ella, pero no estaba. Estos días salen por ahí. Su madre tiene un bebé en la barriga que quiere andar; bueno, que quiere que ande la mamá. Si no anda, se le revuelve el estómago y después vomita. Eso también es echar la papilla, pero no es un potito, es... es... porquería asquerosa.

Pasó mucho tiempo; papá se marchó al taller, y mamá, a la parada de taxi. Antonia, que es la que nos hace la comida casi siempre, todavía estaba por allí. Es bastante buena y sabe hacer tortillas de patata muy ricas.

—Antonia, Pedro y yo nos vamos por ahí —le dije.

—¿Adónde vais?

—Al cemen...

Pedro estaba a punto de meter la pata, como la abuela, que no sabe guardar secretos. Tuve que hablar yo deprisa.

—Vamos a jugar un poco y enseguida volvemos. ¿Vale?

Lo dije así y salí disparado. No quiero que sepa que entro en el cementerio viejo.

—Hay voces de los espíritus. Ya lo verás. Lo que no sabemos es si son de los muertos.

—Eso es mentira. Los espíritus no hablan. Sólo dan señales con golpes o se aparecen en la puerta de las habitaciones.

Pedro dice tantas cosas tontas que a veces no le contesto y ya está. Llegamos al cementerio y probamos a ver si se abría la verja oxidada, pero nada.

—¡Está atrancada! —dije.

Y nos quedamos un rato mirando hacia dentro. No apareció ninguna diosa. El reloj de la iglesia tocó una música que toca muchas veces todos los días y después sonó tan, tan, tan... ocho veces. Eran las ocho. El sol estaba un poco escondido detrás de una nube que parecía un oso. Yo tuve escalofríos, una culebra helada se movía por mis tripas. Si hubiera estado allí mi novia, no me habría pasado eso, pero ya sé que Pedro no sirve para policía detective.

—Ven. Vamos a subir por el muro —le expliqué.

—¿Por estas piedras tan altas? Yo no subo —y es que es completamente bobo.

—Entonces ¿cómo quieres ver los espíritus?

Primero subí yo y tiré de él hacia arriba. Como pesaba muchísimo, le dije una mentira y sirvió:

—Date prisa, Pedro. ¡Por ahí viene un espíritu!

Después ya pesaba poco y enseguida subió. Para que no tuviera miedo, le di unas moras. Y el muy miedoso me preguntó:

—¿Y si están en las moras? ¡Son muy secas!

—Si están en las moras, nos comemos a los espíritus.

—Eso no puede ser. Tantas almas no caben dentro de una persona.

En el cementerio olía muy mal. Igualito que cuando mamá se olvidó de recoger la carne que había sacado del congelador. Pasaron muchos días y olía a demonios, que los demonios apestan.

—Seguro que los muertos no se lavan nunca —dije.

Saltamos por el sitio secreto cuando las voces empezaron a sonar. Salían de dentro de la tierra.

—A lo mejor son los muertos que se fueron al infierno por cometer el pecado de beber cerveza o algo así.

—¡Mira que eres burro, Pedro! Por eso no se van al infierno. Sólo les nacen agujeros en el hígado.

—¡Tú qué sabes! Mi padre es «neurasténico», sólo bebe agua.

Escuchamos más voces y nos callamos. Pedro empezó a temblar y a ponerse del mismo color que la barriga de Lúa, que es blanca. Cada vez olía peor. Pedro no, el cementerio. Había un ruido como de moscas. Pedro se arrimó a mí. No es nada valiente.

—Mira, David. ¡Son abejas! Yo quiero marcharme.

Era cierto. Había abejas y yo tuve que ser valiente.

—Vale. Miramos un poco y nos vamos. Échame la mano por el hombro. Así ya no tendrás miedo.

—Échamela tú a mí.

—Es que tú eres muy alto.

Pedro me pasó la mano y nos fuimos acercando con cuidado a donde estaban las abejas... ¡Eran moscas gordas! Tenían un color verde brillante. Empezaron a volar por todas partes y allí quedó un bulto que apestaba.

—¡Es una oveja muerta! —dijo Pedro muy bajo.

—Claro, no pasa nada —le contesté yo un poco después.

Primero había entendido «una abeja» y pensé que tendría que ser gigante, pero no era. Había más luz que la vez que estuve con Blanca, y se veía bien.

En esto, las voces empezaron a hablar sin parar.

—... astro!

—... ardes!

—... vengarme.

La única palabra que escuchamos bien fue «vengarme», y eso es muy malo. Después oímos risas y Pedro no quiso seguir buscando. Nos tuvimos que marchar.

11 *Mi profe está denunciada*

Hace pocos días; bueno, bastantes. Hace muchos días hice la Primera Comunión. Don Manuel apareció para decir la misa ese día. Todo fue estupendo.

Vino la tía Lucha desde el infierno, vino la abuela que sabe vivir sola y que todavía no es abuelabisa, vino la tía Sita... Vino muchísima gente y me hicieron muchos regalos. La profe me dio un libro de gatos. Es bonito. Pero antes quiero contar otra cosa de la que me acabo de acordar.

Mi profe está denunciada por un papá. Eso es terrible. La pueden meter en la cárcel como a los ladrones y a los asesinos, y mi profe es buena. Es listísima. Lo peor de todo es que yo tuve la culpa. Ahora tengo remordimientos de conciencia, que se dice así. Aún no sé qué puedo hacer para salvarla.

En la cárcel tienes que estar todo el día limpiando con la fregona, que yo lo he visto en la tele. Te dan de comer garbanzos y a mí no me gustan nada. Si a la profe tampoco le gustan, puede que se ponga muy delgada... Bueno, si se pone superdelgada, puede fugarse por los agujeros de los barrotes. En las cárceles hay barrotes de hierro. Allí se agarran con las manos los presos. Y las presas también. Todavía no sé lo que va a pasar.

Unos días antes de la Primera Comunión, la profe nos preguntó el credo. Total, yo ya me lo sabía. Lo estudiamos una vez Blanca y yo para salvar a Lúa, que estaba muy enferma. Raquel, la piojosa, no se lo supo y suspendió el catecismo. Así no iba a poder hacer la Comunión. Mejor. Todos teníamos miedo de que nos llenase de piojos el traje nuevo de la Primera Comunión. Yo, cuando tuve que decir «Creador de todo lo visible y lo invisible», le pregunté una cosa a la profesora. Quería saberlo exactamente.

—¿Qué es invisible?

—Que no se ve.

Era muy raro; por eso le tuve que preguntar más.

—Y... ¿cómo sabemos que hay cosas invisibles si no las vemos?

—Vamos a ver... ¿Tú has visto el aire?

—¡Sí! Está donde se mueve la ropa que se pone a secar.

61

—Bien... Eso es el viento. Aun así. ¿Tú lo has visto, David?

—No..., pero sé que está allí.

—Pues las cosas invisibles que existen con seguridad son... son como el aire.

Así aprendí que las cosas invisibles también se pueden respirar. Se puede respirar el miedo, la alegría... Después la profe nos mandó que buscásemos la palabra «invisible», y ahí empezó el lío de la denuncia.

—Venga, buscad en el diccionario.

Nos levantamos corriendo para coger esos libros. Siempre se quedan en el armario de la clase. La profe no quiere que con el peso se nos rompa la columna porque es vertebral.

Blanca fue la primera que la encontró. Levantó la mano y leyó:

—«Adj que no puede ser visto».

—¿Alguien tiene un diccionario que diga algo más?

Y Lino Castro, todo chuleta, dijo:

—«Dos puntos uve punto sombras invisibles».

Nos echamos a reír. Lino Castro parecía un marciano que hablaba en ruso de Rusia. Y Ana Lores, que es una sabionda, nos contó que sí, que hay sombras invisibles que pueden pasar por donde quieran. Después la profe nos dejó buscar en el diccionario palabras que nos gustasen. No valía buscar palabrotas, que también las hay. Entonces todos nos pusimos a leer palabras rarísimas y nos daba la risa.

—¡Elocuencia!

—¡Ortodoxia!

—¡Transmigrar! —grité yo.

—Vale, vale, pero hay que conocer el significado; si no, no vale de nada. Venga, David, lee tú.

—Transmigrar, pasar el alma de un cuerpo a otro.

Mi palabra era la más chuli. La profe nos explicó que hay personas que creen que, cuando mueran, se podrán meter dentro de otro cuerpo y a lo mejor ya no son una persona. Hay señores que se convierten en ovejas, hay médicos que se vuelven ranas, ladrones que son gusanos y muchas cosas más.

Ramiro Ponte dijo que él había visto desde la ventana de su casa un alma corriendo por la carretera y que había desaparecido cerca de la casa de Rita Novás.

—¿Cómo era? —le preguntamos.

—Era una sombra muy fea.

Rita Novás empezó a llorar y no paró en todo el rato. La profe no nos dejó seguir jugando a buscar palabras. Rita Novás se fue al autobús con la cara llena de mocos con globos.

Al día siguiente, después de dormir, vino su padre al cole. Rugía como un león con los ojos muy abiertos. La directora quiso pararlo, pero él siguió hasta que el señor conserje le señaló con el dedo hacia nuestra aula. Tenemos una ventana grandísima y se ve el pasillo.

—La voy a denunciar por aterrar a mi hija.

Nosotros pensamos que la profe se había vuelto loca y había enterrado a Rita Novás debajo de la tierra, pero no. Aterrar es meter miedo. Y el padre de Rita Novás aterró a la profe. Después lloraba.

Yo la quiero mucho. No quiero que doña Digna se ponga traumatizada. Lo que pasa es que ahora pienso que las voces que se oyen en el cementerio viejo pueden ser por eso de la transmigración de las almas de los muertos que estos días están escogiendo en qué cuerpo se van a meter. A lo mejor el padre de Rita Novás es un transmigrado de una fiera salvaje. El pelo lo tiene largo y tieso, así como el de un león. No sé.

12 *La fiesta de la Comunión*

Lo de la Comunión sí que fue superdivertido. Resultó un día inolvidable, ya lo había dicho mamá. Todos estábamos muy guapos. A mí no paraban de decirme:

—¡Qué guapo, David!

—Pareces un ángel.

—Sonríe hacia la cámara, David.

Quin lo grabó todo todo. También cuando mamá me ayudó a vestirme. Ese día llevé un pantalón blanco y no me importó. Era para recibir el cuerpo de Jesucristo, que se dice así, pero no es su cuerpo verdadero. Me lo explicó el cura nuevo, cuando le dije:

—Yo no... ¡Yo no soy carnívoro!

Bueno, me parece que se dice caníbal. Yo no soy caníbal.

Don Manuel me dio una tarta pequeñita que sabe fenomenal. No se puede morder como si fuera chicle o chocolate. Hay que dejar que se derrita y después ya tienes a Dios dentro.

Sabía que Dios estaba dentro de mí y me puse

contentísimo. Menos al principio, que no se derretía, no se derretía y yo no recordaba si me podía sentar. Tenía cosquillas en la barriga.

Blanca también hizo la Primera Comunión. Llevaba un vestido superbonito que tenía un lazo grande detrás. Parecía una novia guapa; por eso cuando le di la paz le tuve que decir:

—Guárdalo para cuando nos casemos.

—¿El qué? —me preguntó bajito.

—El vestido.

Se rió un poquito. Cuando se hace la Primera Comunión, no se puede reír mucho mucho. Lo que pasó fue que Blanca no pudo venir a mi Primera Comunión ni yo pude ir a la suya. Eran dos fiestas. Dos fiestas juntas son carísimas.

Ese día fui feliz. Estaba limpio de pecados. El día anterior me confesé de verdad con el cura nuevo y me dio mucha vergüenza cuando le conté el pecado de la transmigración. Es un pecado muy raro. El cura me perdonó y se rió.

La noche anterior me duché yo solo, como siempre. Soy mayor. Al acabar, mamá quiso lavarme la cabeza, para que me brillase el pelo con el sol. Total, el día estuvo completamente nublado. Pero fue bonito igual.

Bueno, también estaba muy contento porque tuve muchísimos regalos.

—Toma, ábrelo.

—Coge, ¿te gusta?

—Guarda esto, que es muy caro.

Todo el mundo me daba cosas. Dinero también. Y mamá me abrió en el banco mi primera cuenta. La primera cuenta es la que te abren, que se abre, cuando haces la Primera Comunión. No es una cuenta de esas de contar. No es de sumar ni nada de eso. Es guardar el dinero en un sitio y, después, cuando sea mayor tendré mucho. Me dieron tanto dinero, tantos billetes de mil, que creo que soy millonario.

Mi padrino me dio quince mil pesetas. Estaban dentro de un sobre blanco y me dijo:

—Para que te compres un avión.

—Vale —le dije.

Pero ahora ya lo he pensado mucho y quiero que me compren una bicicleta como la de Quin. Algunas veces me la presta y sé andar. Además no sé dónde se compran los aviones ni cómo se conducen. Y tendría un problema gordo: ¿dónde lo guardo por la noche?

Antes de salir hacia la iglesia, fui al cuarto de la abuelabisa para que me viese el traje. Se quedó un rato mirándome como si fuera una abuela de piedra. Después me pidió que me acercara y me dio un beso en la frente tan fuerte que por poco me la perfora.

—Abuela, ¿tú vienes a misa?

En vez de contestar, me dijo:

—Eres igualito al difunto de tu abuelo.

Entonces pensé que a lo mejor yo era el alma de mi abuelo en otro cuerpo. Eso casi me traumatiza. Me llamó mamá y ya lo olvidé.

En la iglesia había muchísima gente: señores y señoras haciendo fotografías, señoras murmurando en el oído de otras... Quin se puso delante para grabar con la cámara. Yo no quería mirar.

Teníamos que llevar en una mano una vela blanca encendida. Era la primera vez que me dejaban jugar con el fuego. Dejé que las gotitas de cera cayeran en la punta de mi zapato. Era divertido. Blanca tenía una flor que también era blanca. Nos levantamos para ir al medio a decir una cosa muy bonita. ¡Había un micro como el de los cantantes! A mí me tocó leer: «Que no haya niños ni niñas sin papás, Señor».

Me puse bastante nervioso y me salió un poco diferente:

—Que no haya niños ni niñas sin papas, Señor.

Me di cuenta de que así no era y tuve miedo de que el cura me riñera. Lo habíamos ensayado el día anterior. No me riñó. Se rió y dijo que así también valía.

Blanca tuvo que decir otra cosa. Era bastante divertido:

—Que las bombas se conviertan en bombones de chocolate, Señor.

A mí me dio un poco de risa. Pensé en una guerra en la que unos señores vestidos de capitanes lanzaban bombas con un cañón y llegaban a las casas de los niños pobres convertidas en bombones. Podría ser estupendísimo si los bombones no son de licor. Ésos pican en la garganta y además se volverían todos borrachos.

La abuelabisa también vino a la comida. Y entonces me puse más contento. Hacía mucho tiempo que la abuela no iba a ninguna parte. Como ella no podía levantarse de su asiento para correr por allí a coger papeles de colores y cosas, fui yo junto a ella y la besé. También le di algunas cosas para que me las guardase.

—Anda, picarón. Eres el vivo retrato del difunto de tu abuelo.

Y ahora me acuerdo de eso y tengo miedo de que el abuelo ande por el cementerio buscando su alma. A lo mejor la tengo puesta yo. No voy a parar de investigar hasta que lo descubra.

13 Las circunstancias personales
   de Raquel

Nosotros creíamos que, como había suspendido el catecismo, Raquel no podía hacer la Primera Comunión, pero la hizo. Doña Digna, mi profe, habló con el cura nuevo de las circunstancias personales de Raquel y su familia. Las circunstancias personales, que también se puede decir situaciones duras en la vida, son que el padre de Raquel tiene la enfermedad del paro. No trabaja. Hay otras enfermedades del paro menos graves. La del padre de Raquel es de las peores porque bebe mucho. Después está borracho y le pega a la madre. Muchos días no va a dormir a su casa.

La madre de Raquel trabaja mucho. Limpia un montón de casas y baña bebés de otras señoras. Cuando llega a su casa, está cansada y no puede lavar a sus bebés, que son muchos. Yo me lavo solo. En la casa de Raquel no hay grifos de agua. Cuando se les acaba la que tienen en un caldero, tienen que ir a buscar más a una fuente. Si no tienen agua no pueden lavar la ropa. Y

Raquel viene bastante sucia al cole. Bueno...,
ahora ya viene más limpia. Apareció por su casa
una señora que tiene un nombre muy raro. Ninguna niña de mi colegio se llama así. Se llama
Asistenta Social. Esa señora es buena y ayuda a
la madre de Raquel. Le lleva ropa limpia, jabón,
colonia, arroz... El arroz se lo lleva para la comida.

Raquel es muy delgada y también es baja. Crece
poco. Eso también puede ser una enfermedad
que se llama raquitismo. Se dice así. Algunas veces tiene cura y otras no. Si no te curas, te puedes convertir en enano como los de Blancanieves
o como uno que sale en la tele. A mí eso no me
parece tan malo. Hay enanos que son muy listos
y divertidos. Algunos trabajan en el circo y son
famosos. Dijo la profe que hacer reír a los demás
es parecido a ser médico del alma.

—Blanca, ¿y si las risas que oímos en el cementerio fueran de raquíticos?

—¿De enanos?

—Bueno..., sí... Pueden ser de enanos muy pequeños que quieren hacer reír a los muertos
antiguos. Si son muy pequeños, no los vemos
—no sé por qué siempre me acuerdo del alma.

Hay otra cosa de las circunstancias personales
que es bastante extraña. Por ejemplo, yo tengo

ocho años, soy mayor, pero soy el que menos años tiene de mi familia. Raquel no. Raquel tiene ocho años como yo y tiene cinco hermanos más pequeños. Dos son repetidos. Tienen el pelo, la cara, los ojos, todo igual, y se llaman gemelos. También estuvieron juntos en la barriga de la madre. Eso debe ser estupendo. Como allí hay que esperar bastante hasta que nazca todo el cuerpo, así no se aburren nada.

Primero nace el corazón, que es muy pequeño. Después te van saliendo tripas, piernas, brazos, hígado, que también lo tenemos al nacer, riñones, orejas..., y cuando ya está todo, salimos de la barriga. Bueno, todo todo no. Salimos sin dientes. Después, cuando nos crecen los huesos y el pelo, también nos nacen los dientes. Los hay de varios colores. Los de Raquel son amarillos y negros. Los del padre de Raquel son del color del vino tinto, como los del señor Indalecio.

Un día, su padre la fue a buscar al cole antes de que se acabaran las clases y doña Digna no la dejó salir. Hasta que deje de estar borracho, Raquel no puede irse con él.

Ahora sé muchas cosas de Raquel. Un día que no vino a la escuela, la profe nos contó secretos: las circunstancias personales, las situaciones duras de la vida... Fue después del día de la Comunión. Volví a tener otra vez eso que se llama remordimientos de conciencia. Reírnos de los piojos de Raquel no está bien.

La fiesta de la Comunión de Raquel solamente fue en la iglesia. Ese día no parecía Raquel. El pelo también le brillaba y tenía un vestido bastante bonito.

—Profe, el vestido que llevaba Raquel se lo prestó mi madre. Era de mi hermana Nieves —dijo Ramiro Ponte.

—Y el vestido azul que trae algunas veces antes era de Luisa.

—Sois muy crueles —dijo la profe para explicar que éramos supermalos—. Y la ropa que lleváis vosotros antes fue de un fabricante... o de un hermano.

—Esta cazadora era de mi tío Manuel...

—Esta camisa me la dio mi tía. Era de mi prima la mayor...

—Yo también me pongo cosas que ya no le sirven a Quin —dije yo—. Aunque... me gusta más estrenar.

—¿Y a quién no, David? Pero no todo el mundo tiene la fortuna de poder hacer lo que más desea.

Fortuna quiere decir suerte, tener suerte. Hay señoras que tienen una gran fortuna. Eso significa que tienen muchísimo dinero. Casi tanto como el tío Gilito del Pato Donald.

Lo que no recuerdo bien es si la profe dijo que Raquel iba a tener una transformación gracias a su amiga Asistenta Social, o si va a tener una transmigración. Blanca tampoco estaba segura, por eso me dijo:

—A lo mejor lo que pasa es que el alma de Raquel, que era piojosa y pobre, se fue y ahora va a entrar en ella un alma rica y limpia.

—Sí... Y el cementerio debe de ser el sitio donde se cambian unas almas por otras. Por eso se oyen voces. Unas veces se oyen risas y otras gritos.

—Seguro que todos se pelean por entrar en señores ricos y guapos. Los que tienen suerte se ríen, pero si les toca ser cucaracha o serpiente se enfadan, claro.

—También hay señores ricos y feos, pero menos.

—Los señores y también las señoras feas, si son ricos pueden comprar, por ejemplo, una nariz más bonita. Luego se la cambian en el hospital, no vale en el cementerio.

14 No se puede orinar en el muro del camposanto

CERCA del cementerio viejo hay casas. La que está más cerca es la de la tía Sita, y no lo está tanto. Podrían caber más casas en el medio. Las voces siguen hablando allí dentro todos los días. Algunas veces están más contentas. Se escucha reír y hablar sin reñir:

—... vea!

—... enta!

—... toyó!

Otras veces deben de estar las almas muy enfadadas y dicen cosas que dan miedo. Casi nunca se entiende lo que dicen. Nosotros queremos ver cómo son las almas sin cuerpo.

—A lo mejor son como las palomas... —dijo Blanca—. La última vez que estuvimos allí había bastantes plumas tiradas por el suelo.

—También puede ser que sean plumas de las alas de los ángeles —le contesté.

—No, David. Los ángeles están en el cielo.

—Si vuelan, también pueden acercarse hasta el cementerio.

—Tenemos que capturar alguna alma.

—¿Y si son peligrosas?

—No les vamos a hacer ningún daño. Sólo queremos conocerlas y pedirles que dejen de asustar.

—Serrín para las huellas no nos vale. Lo pueden barrer.

—Claro que no vale, David. Está todo lleno de zarzas y de piedras, no habría sitios lisitos para echarlo. Además, las almas no tienen pies.

—Entonces no pueden ser palomas. Tienen patas... ¡Ya sé! Llevamos un espejo.

—¿Un espejo?

—Claro, Blanca. Los espíritus sólo se ven en los espejos. Lo sé bien. Me lo dijo Quin un día.

—¿Y si dejamos allí el espejo y no se acercan a mirarse?

—No es así. Tenemos que poner el espejo mirando hacia nosotros y fijarnos si hay alguien detrás de nuestra cara.

—Vale. Yo cojo el espejo del baño pequeño.

—¿Sabes? Yo voy a llevar mis guantes de portero suplente, para ir separando las zarzas con las manos.

—¡No, tonto! Es mejor un palo grande. Mi padre lo hace así cuando pasea por un monte sin camino.

—Tenemos que ir muy preparados. No nos puede pasar como la última vez. Ya viste lo que ocurrió.

Es verdad. Después de haber estado allí con Pedro, Blanca y yo volvimos al cementerio otro día. Fue después de merendar. A esa hora papá y mamá están siempre en su trabajo. Los padres de Blanca estaban muy atareados atendiendo en la taberna de arriba. Es suya y tienen que estar allí para vender cosas y ganar dinero. Todo el mundo necesita algún dinero. Sin dinero no se pueden comprar helados en la excursión del cole.

Entramos por la parte secreta del muro. Saltamos adentro sin mojarnos en ningún charco. No llovía. Lo que pasó fue que cuando empezamos a oír las voces raras otra vez, nos pusimos a buscar de dónde venían. Había zarzas por todas partes. Nosotros levantábamos las piernas, pero nos picaban igual. Atravesaban el pantalón. Parecían uñas de gata mala. También nos picaban por debajo de la rodilla, donde ya no hay pantalón.

—¡Es aquí, David!

Las voces salían de un árbol que tenía muchas zarzas alrededor.

—No se ve nada —volvió a decir Blanca muy bajito.

—Acerca el oído.

—¿Sabes qué he entendido?

—¿Qué?

—He oído: «Mata tú».

Me entraron unos nervios raros y me puse histérico. Ahora soy mayor. Seguro que ser histérico es una enfermedad de mayores.

—Almas del cementerio, ¡quiero veros! ¿Por qué os escondéis? —grité.

Blanca se llevó las manos a la cabeza y me hizo señas para que me callase.

Esperé un poco a ver si me contestaban, pero no. A ratos parecía que estaban cerca de nosotros, hasta hacían que nos pitasen los oídos. Al poco se iban lejos. A mí me empezaron a picar mucho las piernas.

—¡Ay!

Pensé que habría sido algún espíritu del cementerio. Sentí un picor muy fuerte y me tuve que rascar sin parar. Blanca, como nació en Suiza y es muy lista, sabe que hay unas hierbas de san Juan, que no son de san Juan ni de nadie. Crecen ellas solas, y cogió unas pocas.

—Espera, Davi. Seguro que te han picado las ortigas. Frótate con esto las piernas, ya verás cómo se te pasa. A mí también me picaron una vez.

Le di a las piernas como hace mamá para quitarse los pelos. Cuanto más deprisa nos frotábamos con las hierbas, más alto y más rápidas se oían las risas misteriosas. Se me llenaron las piernas de ronchas.

—Habría sido mejor traer una grabadora, David. Así no tenemos pruebas. Los mayores no nos van a creer.

—Tenemos que saber manejarla. Quin tiene una. Le voy a pedir que me enseñe.

En la grabadora, que es una radio, pero que no lo es, se guardan las voces que hablan cerca. Después puedes escucharlas muchas veces.

—¡Huy! Por ahí viene alguien —dijo Blanca.

Era por fuera del muro. Yo me acerqué. Ya no se veía bien. Estaba el cielo un poco oscuro y no se sabía si el sol se había ido ya o si estaba escondido. Las nubes negras corrían por encima de nuestras cabezas.

Me subí con mucho cuidado a la piedra de salir del cementerio y saqué la cabeza por encima del muro. Vi que el que se acercaba era el señor Indalecio el Calvo. Venía con su gabardina y las botas de capitán. Junto a él caminaba Tor. También traía un saco que debía de pesar mucho. Se fue acercando al muro y dejó el saco en el suelo. Miró hacia los lados y sopló.

—¿Qué pasa? —susurró Blanca desde abajo—. ¿Hay alguien ahí?

—Sí —le dije muy bajito—. Es el señor Indalecio.

Le hice señas de que no me preguntase más y esperé. Tor enseguida me reconoció. Lanzó dos ladridos de saludo. El señor Indalecio no se dio cuenta. Se arrimó tanto al muro que parecía que quería atravesarlo. Me fijé en que metió las manos debajo de la gabardina y seguía quieto. Pensé que podía ser una buena idea que él supiera que estábamos allí. Nos podía ayudar a encontrar a las almas del cementerio. Lo llamé bajito.

—Señor Indalecio... Señor Indalecio...

—¿Eh? —dijo buscándome con los ojos. Tor comenzó a ladrar de nuevo.

—Estoy aquí, dentro del cementerio. Hemos venido a ver las almas de los muertos. Estos días andan sueltas. Entre con nosotros.

—¡Las diosas! —gritó.

El señor Indalecio echó a correr como si fuera a perder el autobús del cole. Dejó allí el saco y huyó. Tor lo siguió dando ladridos muy fuertes, pero él no le hacía caso. Le dijo a todo el mundo que había visto a las diosas del cementerio en persona.

—Me acerqué al muro porque tenía ganas de orinar. De repente escuché unas voces que me llamaban desde dentro. Eran las diosas, que sabían mi nombre. Me pedían que entrara con ellas en el cementerio viejo.

El señor Indalecio creyó que había sido un castigo de las diosas por orinar en el muro del camposanto, que también se le llama así.

No se lo podíamos decir a nadie. Y el señor Indalecio empezó a estar otra vez traumatizado.

—¡Pequeños, fuera! ¡Pequeños, fuera!

A nosotros nos daba pena. Ahora ya sabemos por qué lo dice y nos da pena que siga sufriendo.

Tuvimos que salir y volver corriendo a casa. Si llego después de las nueve y se dan cuenta, me riñen mucho. Tampoco puedo contar que vi al señor Indalecio cuando estaba orinando. No está bien mirar cuando los otros mean. Y las pruebas que tenemos no valen. Las plumas parecían de gallina muerta y no las cogimos. Daban un poco de asco.

Llegué a casa bastante tarde. Tuve suerte de que papá y mamá no hubieran regresado todavía. Quin estaba arreglando su bici. Tenía las manos casi tan negras como Olga Ramos, una niña que vino hace poco a nuestro cole.

Olga Ramos es muy guapa. Es toda negra de verdad, pero no se puede decir negra. Es feo. El negro no vale para las personas. Hay que decir «de color», como el detergente. Algunas veces dentro de mis pensamientos aparece una Olga Ramos verde, amarilla, azul... Sería estupendo poder tener amigas de muchísimos colores. No se puede decir que Olga Ramos es negra porque también tiene la cara negra. No mancha. Blanca sí que se puede decir aunque sea mentira. Blanca no es blanca. Por ejemplo, yo soy blanco y no soy blanco, que soy del color de la corteza del pan, y no pasa nada.

Quin sólo tenía las manos llenas de grasa negra. Pasé corriendo por su lado para que no me tocase.

Subí a mi habitación y me tumbé en la cama para pensar. Mamá no me deja pensar con los zapatos puestos y los solté por el aire. Me gusta quitármelos atados. Soy capaz de hacerlo sin tocarlos con las manos y salen disparados como balas. Cuando me pongo las botas, no me las puedo quitar así. Se quedan muy agarradas. Por eso prefiero estos zapatos. Son nuevos. Me los compró mamá cuando fuimos a las bodas de plata de la tía Lucha.

La tía Lucha ya estaba casada, pero quiso casarse otra vez. La gente mayor se puede casar muchas veces, con la misma persona o con otra. Si pasan muchos años y te vuelves a casar con la misma persona, se llaman bodas de plata. Algunas personas se casan haciendo bodas de oro. Me dijo papá que son muy pocas las que tienen esa suerte. Seguro que hay que tener muchísimo dinero. Yo, como ahora soy millonario, cuando me case con Blanca voy a hacer una boda de oro de verdad.

15 Pedro, Tor y la gallina

Un día, la tía Sita llamó a mamá. Yo cogí el teléfono antes que ella. Es casi seguro que se está volviendo loca por todo lo que pasa en el cementerio. Escuché lo que le contestaba mamá:

—¿De verdad? ¡Tú estás loca!

—...

—Si crees que te va a sentar bien, vete. No seas tonta.

—...

—¿Muerta? Pues venga, tómate un respiro y huye de ese cementerio.

No quise escuchar más y me marché de detrás de la puerta. Mamá ni cuenta se dio de que yo estaba allí. La tía Sita se fue unos días a buscar un respiro. Seguro que tiene miedo de que los espíritus se la lleven debajo de la tierra y no pueda respirar. Con ese aparato a lo mejor se puede respirar en todas partes.

Además, por culpa de mi mal amigo Pedro, la tía Sita tuvo un ataque muy grande. Pedro y yo nos quedamos jugando en la huerta de la tía.

Como él es un poco tonto, me marché a coger fresas pequeñas que nacen junto al muro. Son muy ricas. Pedro se metió en el gallinero y dejó la puerta abierta. Las gallinas se escaparon por toda la huerta. Y, como no tienen nombre ni nada, no nos hacían caso. No querían entrar.

—Voy a llamar a la tía —dije yo.

—No se lo digas, David. Te va a reñir.

—¡Yo no he hecho nada! —protesté.

—Sí que tienes la culpa. No jugabas conmigo.

—¡Pues mételas dentro, atontado!

—Tenemos que echarles comida.

—¿Comida?

—Claro, maíz. ¿Dónde guarda tu tía el maíz?

Buscamos en el cobertizo y encontramos una cesta con mazorcas.

—¡Enteras no se las comen!

—No, hay que desgranarlas; pero yo no sé.

—Yo sí que sé. Ayúdame, rápido.

Y empezamos a golpear las espigas contra el cepo de cortar leña. Así se deshacían y aparecían granos por el suelo. Algunas gallinas se acercaron a comer y tuve que parar de hacer granos para espantarlas.

—¡Fuera! ¡Fuera de aquí, tragonas!

—¡Ya tenemos muchos! —dijo Pedro.

—Pues los juntamos rápidamente. Coge aquella pala.

En un cubo echó el maíz. También cogimos tierra para acabar antes. Las gallinas saben escoger los granos. Entramos los dos en el gallinero y los lanzamos al aire.

—¡Churras, churras...! Llámalas así, Pedro, que es como hace mamá.

—¡Churras, churras...! —me ayudó.

Las gallinas vinieron y, cuando entraron todas, nosotros salimos corriendo y cerramos la puerta. Enseguida apareció por allí Tor dándole al rabo.

—¡Trae una gallina en la boca! —gritó Pedro.

—¡Suéltala, Tor! —grité yo.

Y la soltó, pero ya no se podía curar. Estaba muerta y llena de tierra.

—¿Qué has hecho, comilón? —le dije asustado—. ¿Y ahora qué?

Tor no me entendía. Seguía dándole al rabo como si me hubiera traído un regalo. También parecía tonto.

—¿Ves lo que ha pasado, Pedro? ¿Y ahora? ¿Eh?

Pedro puso cara de foto triste y no se movía. Yo tenía ganas de llorar. Eché a Tor a pedradas y huyó. Cogí la gallina, que estaba tan sucia y muerta que hasta olía como la oveja del cementerio. La agarré por las patas y la llevé al galli-nero. Se le soltó una pata. Creí que había resu-citado y me asusté. La dejé allí para que la tía pensara que se había muerto ella sola. Tampoco quiero que le hagan nada a Tor. Tor es un poco mío, y a lo mejor tenía muchísima hambre. Toda la culpa era de Pedro. Las otras gallinas pasearon un poco a su alrededor y después ya no le hacían caso.

—Vámonos dentro, venga —miré a Pedro.

Entramos y nos sentamos en el cuarto de la tele. Enseguida apareció la tía. Creí que nos iba a reñir y sentí calor en la cara.

—¡Eh! ¿Hace mucho que estáis aquí?

—N... —iba a decir Pedro, que es completa-mente tonto.

—¡Sí! —dije yo—. Ya hace mucho que esta-mos aquí.

—Pues esperad así como buenos chicos, que os prepararé la merienda. Antes voy a recoger la ropa, que parece que va a llover. Estaos quietos, que vuelvo enseguida.

No dijimos nada más y la tía Sita salió. Miré asustado a los ojos asustados de Pedro y a los dos nos dio la risa. Nos habíamos salvado.

Un poco después, oímos gritar a la tía como si hubiera visto los monstruos más grandes del mundo.

—¡Alabado sea Dios! ¡Esto no tiene explicación! Es cosa de brujas. ¡Ay, ay!

Empezó a dar gritos y nosotros no queríamos salir. Yo tenía miedo de que me descubriese. No creo que la tía Sita quiera llevar asesinos de gallinas a la playa.

Volvió a entrar y se fue a llamar por teléfono.

—¡Flora! —hablaba con mi madre—. Ven enseguida, por favor.

—...

—No, a los niños no les ha pasado nada, pero aquí suceden cosas que no tienen explicación.

—...

—¡Que sí, que es cierto! Aquí hay brujas. Hace dos días se me murió una gallina...

—...

—¡Bah! Calla un momento y déjame que termine. Se me murió una gallina y la enterré en un rincón de la huerta. ¿Quieres creer que acabo de entrar en el gallinero y estaba otra vez allí tirada? Esto es obra del demonio.

—...

—Claro, tú mucho dices, pero ¡estaba dentro del gallinero! Ya sé que si estuviera fuera podría haber sido cosa de un animal que la hubiera desenterrado, ¡pero es que apareció dentro!

Nosotros no le dijimos nada a nadie. Tengo miedo de que mamá se ponga histérica y me castigue. Mañana tenemos que salir para ir al cementerio.

Vamos a ir preparados para descubrir el misterio. Si todo el mundo se empieza a asustar como la tía Sita o como el señor Indalecio, la parroquia se queda sin gente y se convierte en una ciudad del pasado donde vivían los primitivos. Yo no quiero ser primitivo.

16 Todo preparado para el gran día

AYER fue el día más importante de mi vida. Si no fuera porque soy detective de carné, no habría sido capaz de descubrir este misterio tan misterioso.

En el ordenador de Quin —que no es sólo suyo; es de todos, que lo dijo papá—, pues en el ordenador de Quin también hay misterios. Algunas veces aparece una oveja que hace *beee* por el medio de las letras. Y Quin, si quiere, dice que puede hablar con gente que está en otro mundo; por ejemplo, en América.

—¿Por qué no hablas con las almas del cementerio? —le pregunté.

—¡David, no juegues con esas cosas!

—No es para jugar, ya te lo hemos dicho. Quiero saber de dónde salen las voces. Tú también las has oído. ¿A que sí?

—Está bien; si tú lo dices, las he oído, pero no quiero hablar de eso. ¡Déjame!

Algunas veces es malo y se convierte en mi enemigo. Y si duermo en su habitación y no me habla nada, estoy durmiendo con mi enemigo. Soy un valiente.

Quin abre la ventana y lanza saliva con mocos muy lejos. Es un guarro.

—David, te hago una competición de lapos. ¿A que yo lo lanzo más lejos?

Yo no le hago caso. Sólo jugué una vez. Hace trampas.

Quin no tiene novia. Está buscando una. Dentro de un ordenador puede haberlas. Son novias informáticas, que las hay. Un día, en la tele había un señor que era mayor que Quin y se casó con una novia informática. Y parecía una novia de verdad, pero la encontró dentro de una red que se llama informática. A lo mejor era una sirena. La pescó con la red. Las sirenas también se casan con hombres. Eso lo vi en una película muy bonita.

Ayer, por fin, nos preparamos para descubrir el misterio del cementerio viejo. Fuimos Blanca y yo, los dos solos. Y eso que llovía a mares, que se dice así. El agua venía desde arriba y desde los lados. Bueno, desde abajo también. El agua subía de las piedras y me daba en la barbilla y en las piernas. Hasta me entraba por los pantalones.

Los padres de Blanca habían ido a un sitio que está lejos y mis padres no estaban en casa. Quin se pasó la tarde ocupado buscando novia en el ordenador y la abuelabisa estaba en su habitación. Siempre está en su habitación.

—David, ¿estás preparado? Te espero aquí.

Oí que Blanca me llamaba desde la huerta y me asomé a la ventana.

—¿Has encontrado la linterna?

—Sí. La tengo en el bolsillo del anorak, ¿ves? —me la enseñó.

—Vale. Yo he guardado un palo gordo para las zarzas. No me puedo llevar el espejo y no he encontrado los guantes. No está mamá...

—¡Hala! Yo tampoco llevo espejo. ¿Te dejó Quin la grabadora de las voces?

—No.

—Entonces... ¿cómo vamos a demostrar que existen los espíritus?

—¡Chiiisss! ¡Se la he cogido! Hoy Quin es mi peor enemigo y no me presta nada.

—¿Sabes cómo funciona?

—Claro. Ayer era amigo y me lo explicó. Hay que apretar este botón negro y este otro rojo. Los dos juntos.

—¿Y tiene cinta dentro?

—Sí, me dijo que tenía una cinta virgen.

—¿Una cinta virgen?

—Pues claro. Segurísimo que en el cementerio sólo se puede grabar con cintas sagradas.

Bueno, yo no sabía si Quin había dicho virgen o sagrada. Era algo de santos.

Antes de marcharnos, fui a ver a la abuelabisa para darle cuerda a su reloj. Si me olvidaba, podía llamarme y me descubrirían. La abuela necesita escuchar siempre su sonido. Quiere saber que el tiempo corre y pasa. Y después suspira:

—¡Ay, cómo pasa el tiempo!

Cuando escucha los toques de la campana de la iglesia, que suena tantantín tantantín muchas veces, se enfada:

—¡Alabado sea Dios! Esas campanas sólo saben tocar a muerto.

Las campanas también pueden tocar a muerto. No las tocan los muertos. Es el señor Miguel, el campanero, el que toca. También es enterrador de muertos. Ése es un trabajo como el de carpintero.

Hace poco, un día que íbamos al catecismo, el señor Miguel estaba barriendo delante de la puerta de la iglesia. Por encima de las piedras había mucho arroz de novia. Era de otro día.

—Ya me está fastidiando el arroz del demonio... Con esta moda de tirar arroz se nos va a llenar la iglesia de ratones.

A mí me dieron ganas de reír y él me miró muy serio:

—¡Fuera de ahí, mocoso! ¿Acaso no te importa que los ratones se te suban encima cuando estás en la iglesia, ni que roan la ropa de los santos?

Sin querer, pensé en los ratones corriendo detrás de los trajes de los santos y los santos escapándose, y otra vez me dio la risa. Me tapé la boca antes de preguntarle una cosa que entonces recordé. Además, tenía que esperar a que entraran todos.

—¿Sigues ahí de pasmarote?

—Señor Miguel..., usted entierra a los muertos...

—¿Y qué? Es un trabajo como otro cualquiera.

—Sí..., como el de carpintero... ¿También ha enterrado en el cementerio viejo?

—¿En el viejo? ¡A ver si te crees que tengo doscientos años! ¡Anda, largo de aquí, entra ya y déjame barrer de una vez!

Esperé callado un rato. Junté el arroz con los zapatos. Así me parecía que le ayudaba.

—Anda, estate quieto, que vas a estropearte el calzado. ¿Con qué cuentos andas?

—¿Usted sabe lo que son las almas?

—Pues claro...

—¿Las ha visto?

—Pues sí...

—¿En el cementerio?

—En el cementerio he visto de todo.

—¿Cómo son?

—Mira, chaval, yo más bien lo que veo son cuerpos sin alma, que no sirven ni para barrer el arroz de la puerta de la iglesia. Así que supongo que también habrá almas sin cuerpo. ¡Largo de aquí! —gritó muy enfadado, y no pude investigar casi nada.

En el reloj de la abuela, la aguja pequeña ya pasaba de las siete. Como después de las siete vienen las ocho y ésa era la hora en la que comenzaban las voces, ya teníamos todo listo para ir al cementerio. También me puse el anorak. El mío tiene muchos bolsillos grandes.

—He cogido esto para matar cucarachas y bichos asquerosos.

—¡Ah! Genial, por si hay moscas como cuando fui con Pedro.

Blanca me enseñó un tubo de esos que venden en su tienda. También en el súper grande de la ciudad. Y yo había cogido un cordel muy duro. Cuando mamá y la tía Sita hicieron chorizos, los ataron con un cordel como ése. Casi parece un hilo gordo de coser cosas. Es como una pelota, pero no lo es. No bota.

Antes de salir, también cogimos dos trozos de bizcocho. Los policías detectives se tienen que acordar de todo, por si acaso tardan en volver a casa.

17 *Un espíritu junto al contenedor*

En el mismo momento en que íbamos a salir, empezó a llover mucho mucho. No podíamos llevar paraguas. Los polis no tienen paraguas. Así no podríamos correr tanto.

—Es mejor que esperemos a que escampe un poco.

—No, Blanca. Las voces se oyen más cuando llueve. Si esperamos a que pare, a lo mejor ya no están.

—¿Y si es cierto que allí viven las diosas?

—Si viven, hoy las vamos a conocer. Ya lo verás.

El día era triste, sin pájaros. Como la otra vez, no había sol. Bueno, sí que lo había. Doña Digna nos dijo que el sol está siempre y que anda por ahí, en muchos sitios, por culpa de la Tierra que se mueve dando vueltas. Yo no sé si eso será verdad.

—Es que a mí me parece que la Tierra sola no se mueve —le dije a Blanca.

—La mueven los terremotos grandes. La Tierra se sacude toda y engulle casas, aunque sean casas grandes.

—Pues ahora parece que hay un *vientorroto*.

—Bah, David, tú siempre inventas palabras.

—Es que hace mucho viento.

—¡Y frío! —y Blanca se subió la capucha otra vez. El viento se la sacaba continuamente.

Sólo se oía aquel viento grande. No era completamente invisible. Yo lo notaba en la cara. Me la enfriaba. Me entraba por la nariz y me dolía al respirar. El viento frío duele bastante. También había viento en las hojas de los árboles. Los árboles de hojas pequeñas se movían tanto tanto que parecían más de cien o más de un millón de pájaros verdes que estaban chillando y batiendo las alas. No había nadie en la calle. Mi anorak no tiene capucha. Sentía cómo las gotas gordas de agua caían desde la punta de mi nariz al suelo. Algunas se me metían por el cuello y me hacían cosquillas.

Pensé en mamá dentro de su taxi. Se iba a hacer millonaria. Cuando llueve, gana mucho dinero. Miramos hacia atrás. No vimos a nadie. Sólo sentíamos las gotas de agua golpeándolo todo. De repente oímos un ruido sospechoso. Los detectives sabemos cuándo los ruidos son sospechosos. Aquél lo era.

—¿Has oído?

—Sí, ladran los perros.

—No, yo digo otra cosa...

—¡Pasos! Se oyen pasos.

—¿Quién es aquel que viene por allá, Blanca?

—¿Dónde? No veo... ¡Ay, sí! Escóndete aquí, Davi.

Muy lejos se veía algo que se acercaba a nosotros. Era un bulto muy oscuro. Nos metimos detrás de unos contenedores de basura y esperamos allí a ver qué pasaba.

—¿Será un espíritu?

—No lo sé. A lo mejor es un fantasma.

—No, que los fantasmas son blancos.

—Tiene una luz en la barriga.

—¿Seguro?

—No lo sé. No se ve bien y no quiero sacar la cabeza. Si sabe que estamos aquí...

Me puse de rodillas encima de un cartón empapado de agua y miré con mucho cuidado por un lado del contenedor.

—¡Blanca, creo que es un alma!

—Escóndete, David. Que no nos descubra.

Yo no sabía si nos habría visto y me entró calor en el pecho. No había podido mirar bien,

pero no era una persona. Tenía unos pies enormes. Creo que verdes, aunque, como estaba tan oscuro no se los vi bien. Tenía el cuerpo muy negro y en la barriga y en las piernas llevaba luces. No le pude ver la cara. Me arrimé a Blanca. Para que no se asustara, le dije bajito:

—Creo que es un muerto. No mires. Cierra los ojos hasta que se vaya —yo también los cerré.

Seguía teniendo la cara fría y el pecho caliente. Así, agachado, sentía cómo el agua me caía por todas partes. Parecía que estábamos orinando. Bueno, yo me oriné de verdad. No se lo dije a Blanca. Total, no se notaba. Respirábamos muy deprisa y sin ruido. Lo sentía tan cerca tan cerca que ni siquiera le pude preguntar a Blanca si escuchaba los ronquidos de león que hacía. Después escupía. Se acercó a los contenedores. Levantó una tapa. Yo tenía muchísimas cosquillas en la nariz. No podía estornudar. La luz de su barriga se colaba entre los contenedores y me hacía daño en los ojos. Me apreté la nariz con las manos muy fuerte y solté un estornudo silencioso. No sé si lo oiría. Sólo sé que estuvo mucho tiempo con la tapa levantada. Por lo menos, una hora o un minuto. Me llegó a la nariz un olor superasqueroso a tripas podridas de pescado muerto. De repente lanzó algo dentro que hizo mucho ruido y dijo:

—Si llueve, que llueva. ¡Fuera esta mierda!

A mí me dio la risa, pero apreté los labios para no reírme. No sabía que los espíritus también decían palabrotas. Y pasó una furgoneta de esas que son como un autobús pequeño. Lleva personas que van o vienen de trabajar. Tuvimos que movernos para escaparnos de la luz de los faros que nos perseguía. Sentía la lluvia como cuando miro hacia arriba en la ducha. También resbalaba por los contenedores. El espíritu (casi seguro que era un espíritu) tosió como tosen los hombres y se fue alejando poco a poco. No le importaba nada que lloviera. Antes echó un escupitajo al lado de un contenedor y por poco le da a Blanca en un hombro.

—¡Qué asqueroso! —murmuró Blanca con cara de medicina para la garganta—. Por poco me da en la cabeza.

El espíritu se echó a andar. La lluvia, al golpear en la acera, hacía mucho ruido y pude hablar sin miedo.

—Blanca, es un espíritu. Tenemos que seguirlo.

—¿Estás seguro?

—Ruge como un león, dice guarrerías y tiene

los pies verdes y enormes. Tiene que ser un alma o algo así.

—Pues lo seguimos, venga.

—Hay espíritus buenos...

—No creo que éste lo sea. Dice guarrerías.

—Puede ser que sea la Muerte. Ya sabes lo que nos contó el señor Indalecio un día.

—Sí... La Muerte viste de negro.

Seguimos al espíritu. Si él se paraba, nosotros nos parábamos. Es así. Alguna vez miraba hacia atrás y decía cosas raras.

—¡Me cago en este tiempo del demonio!

Como con la luz de la barriga alumbraba el camino, nosotros íbamos detrás.

—¡Eh! ¡No va al cementerio viejo!

—¿Qué hacemos?

—Lo dejamos. Tenemos que descubrir las voces que hay allí dentro. No podemos alejarnos más.

Dejamos que se marchase. A mí hasta me pareció que se metía en la casa de un amigo muy amigo de papá.

No pudimos indagar más, que eso es indagar. Teníamos que seguir para coger a todas las almas por sorpresa, sin darles tiempo para que huyeran.

18 Una cabeza con pelo

LLEGAMOS junto al muro del cementerio. Estaba muy mojado. Las piedras brillaban muchísimo. Paró un poco de llover. El cielo seguía teniendo aquellas nubes feas que no se movían. Blanca echaba humo por la boca. Yo también. Cuando hace mucho frío, tenemos más humo dentro. Si soplamos sale y se llama vaho.

Algunas veces jugamos a hacer que fumamos, así como si fuera de verdad. Ayer no. Estábamos investigando y no podíamos jugar a hacer mentiras. Cuando iba a subirme por las piedras, me acordé de lo que había pasado con el señor Indalecio.

—¡Qué asco, Blanca! No recuerdo en qué sitio orinó el señor Indalecio. No quiero tocar su pis.

—¡No te preocupes! Ha llovido tanto que ya no está —me aseguró Blanca.

Yo oía el ruido del agua dentro de mis botas, pero no sentía frío en los pies. En las manos sí. Las tenía tiesas como el cuerpo de mamá cuando se enfada. Por eso tuve que sujetar mi palo entre las rodillas y frotar una contra otra. Así se calientan, que me lo enseñó la bisa. Con las manos tan frías no era capaz de agarrarme a las piedras del muro.

—¿Oyes, Blanca?

—¿El qué?

—Esos grillos...

—No..., creo que no...

Me empezó a entrar otra vez el sonido de los grillos en los oídos. No paraban de chillar. Parecía el ruido que hace el herrero de la parroquia cuando está pegando los hierros de una verja, que eso es soldar, yo lo sé. Hacía que me doliera la barriga.

—Dame la mano, Davi —me dijo.

Alargué el brazo y se la di.

—No tengas miedo, Blanca.

—No lo tengo. Funciona la magia.

—¿La magia?

—Sí, la de decir con el pensamiento palabras difíciles. ¿Te acuerdas?

—¡Ah, sí! Recorazón de la renocería.

—¡No! Recorazón de la recorazonería.

—¡Ya! Recorazón de la recanozoría.

—No te sale. ¿Tienes miedo, Davi?

—No —le expliqué casi sin voz, para no asustar a los espíritus.

Cuando ya estábamos encima del muro, lancé el palo dentro. El viento nos empujaba. Quería tirarnos abajo. Volvimos a sentir los sonidos de los tambores, pero ya habíamos investigado y no nos importaron. Sabíamos que eso no tenía nada que ver con las voces de los muertos o de las almas o de los espíritus...

—¡O de los fantasmas! —me salió en alto.

—¿Qué? —Blanca me miró.

—Nada, que a lo mejor son fantasmas —le recordé.

—¿Fantasmas? No, los fantasmas viven en los castillos, no en los cementerios.

—La bisa me dijo que los fantasmas pueden ser las almas de los muertos. También se llaman Santa Compaña. Cuando era pequeña, que un día fue pequeña, pues entonces la abuela vio a la Santa Compaña cuando pasaba por un monte de noche. Iban ella y el abuelo, que también era bisa. Como eran novios, volvían de una fiesta.

Y es verdad que me lo dijo. La Santa Compaña son los muertos que salen de paseo por la noche y llevan luces amarillas, casi blancas. Van todos con un ataúd, que también se dice así. La gente se escapa. Van buscando a alguien despistado para llevarlo al cementerio. Juegan a pillar, pero de verdad. Hacen procesiones como en la misa de las fiestas grandes. Sin cohetes. Algunos muertos son conocidos y van a visitar a la familia. Llaman tres veces a la puerta y a la señora que está dentro le empiezan a doler las uñas de los pies.

Ayer no le pude contar a Blanca nada de esto. Teníamos que ir bastante callados.

Después de saltar dentro del cementerio, casi no hablamos. No queríamos espantar a los espíritus antes de poder verlos. Las manos se nos soltaron solas. Pegábamos la espalda contra el muro para escuchar de dónde venían las voces. Cogí otra vez la mano de Blanca. Me la apretó. También agarré el palo. Así me sentí mejor y le dije muy bajiito:

—No tengas miedo.

—¡Chiiisss, ya están aquí! —me avisó.

Blanca me soltó rápidamente. Las voces estaban allí. Sonaban todas mezcladas como cuando en el cole es la hora de recoger y no se entiende nada, ni siquiera a doña Digna.

—Vienen del mismo sitio, Davi.

—Sí...

Empezamos a andar y...

—¿Qué es esto?

—¡Ostrís! ¡Una cabeza! ¡Qué asco!

—¡Tiene pelo!

Era cierto. Junto a unas piedras había una cabeza con pelo. No era una calavera. Tenía carne. Era un trozo de muerto que todavía no era polvo. Pisé una tabla y por poco me caigo. La cabeza se volvió de pronto hacia nosotros.

—¡¡Aaaaay!! —gritamos los dos.

Aquella cabeza abrió los ojos y sonrió. Nos echamos a correr. No nos acordábamos de por dónde teníamos que ir. Fuimos a parar bajo un árbol muy grande.

—Es mejor que trepemos hasta las ramas más altas —dije.

—No podemos pararnos, David. Tenemos que seguir.

Enseguida volvimos a escuchar voces otra vez. Estaban allí, a nuestro lado.

—Los sonidos vienen del tronco de este árbol.

—¡Es el mismo de la otra vez!

—Enciende la linterna.

—No. Tenemos que esperar para que no nos vean. Es mejor que ponga a funcionar la grabadora.

Saqué la grabadora del bolsillo y apreté los dos botones de la esquina. Bueno, no eran botones, eran unos cuadrados que salían para afuera como el ombligo de Pedro, que yo se lo he visto y parece un botón de grabadora. Enseguida se encendió una luz roja muy pequeñita. Así funciona.

Fuimos moviéndonos pegados contra el árbol. Pisábamos las piedras y el barro tan despacito como si no estuviéramos allí. Cada vez sentíamos las voces más cerca.

—¡Mata ahora!

Mata. Habían dicho: «Mata ahora». Y después se reían. Nos quedamos completamente quietos. Oímos un golpe fuerte. Las voces también pararon. Nos entró ese miedo grandísimo que se llama terror. No sabíamos si lo habían dicho por nosotros. Yo miré hacia atrás para saber si el muro estaba cerca, por si nos perseguía la cabeza. Quin también hace dibujos de cabezas con patas. A lo mejor existen así. Podría ser que tuviéramos que echar a correr otra vez.

19 *Los espíritus engulleron a Blanca*

De repente, empezó a sonar una cosa muy cerca.

—Parecen abejas.

—Serán moscas. Cuando vine con Pedro también las había.

—No. De noche las moscas de fuera duermen. Lo sé.

—¿Y si nos atacan? Por si acaso, no debemos hacer ruido.

Eso puede pasar. Lo vi en una película y todos se escapaban. Estaban en una fiesta y empezaron a llegar muchas abejas, y picaban a todos los invitados... Se les metían por dentro de la camisa y por las perneras de los pantalones, por los trajes de las señoras... Todos corrían...

—¿Nos vamos, Blanca?

—Espera...

Si te atacan las abejas, te puedes salvar metiéndote dentro de una bañera con una paja en la boca para respirar aire, y ya está. Pero nosotros no teníamos ninguna paja. Tampoco teníamos bañera. Los charcos del agua que habíamos pisado no valían. No cabíamos enteros dentro. Además, podía haber serpientes. En las pozas muy negras viven serpientes con lenguas venenosas muy largas.

Blanca acercó la boca a mi oído y me habló bajito:

—Nos vamos de aquí sin que nos vean.

Yo le dije que sí con la cabeza. No quería abrir la boca para que no me entrara ninguna abeja. Son muy peligrosas. Un día que vino mi peor amigo Pedro a mi casa, cuando salía del gallinero le picaron dos abejas en la frente. Después le salieron cuernos rojos y parecía un caracol. Las abejas pican y soplan aire envenenado, por eso se te hincha y te duele. Sólo los astronautas se pueden acercar a ellas sin miedo. Tienen un traje que se llama escafandra. Yo los he visto.

Andábamos y las abejas también venían con nosotros, pero no las veíamos.

Yo ya casi no quería ser detective. Pensé que habría sido mejor haber esperado a que mamá nos pudiera ayudar, o papá, o incluso Quin, que también valía.

Eché de menos a Lúa. Si hubiera estado allí, la habría cogido en brazos y yo le habría quitado el miedo a ella, y ella, como tiene el pelo muy suave y caliente, habría logrado que desapareciera mi miedo también.

Me acordé de la grabadora y se lo dije a Blanca.

—¿Sabes? Ahora vamos a tener pruebas de las voces de los espíritus y de las abejas. Tendrán que venir todos a ayudarnos.

—¡La grabadora! —gritó Blanca como si no supiera que la teníamos—. ¡Es la grabadora!

Blanca sacó rápidamente la linterna y la encendió. Enfocó la grabadora. La cinta sagrada no se movía. Sólo hacía ruido. Parecía de abejas. Y entonces me di cuenta de una cosa importante.

—¡Ay! Tiene la cinta mal puesta. Quin me explicó que le tenía que dar la vuelta.

—¡Jo, Davi! Me has asustado mucho. Las abejas me dan mucha grima.

—Es que Quin es tonto. No estaba bien colocada. Los hermanos mayores son un rollo. Es mejor tener una hermana pequeña como la que vas a tener tú. Mandará muy poco. Nunca va a ser mayor.

—Las hermanas también crecen.

—Pero tú creces más. Yo, cuando sea mayor y ya no crezca, que mi padre ya no crece, voy a ser como él.

—No; cuando dejes de crecer para hacerte mayor, empezarás a ser viejo.

—Entonces mi padre todavía no ha parado de crecer. No es nada viejo.

Mis padres no van a ser viejos nunca. Me lo prometió mamá el día que tuve aquellas pesadillas feas con Lúa muerta.

Como no había abejas picadoras, hablábamos mucho y bajito. Estábamos tranquilos. Los muertos no nos habían oído.

—Dale la vuelta a la cinta, Davi.

—Sí, es que está un poco duro para abrirlo.

Hice mucha fuerza. No tengo las uñas largas por culpa de papá, que me las corta. No me entraba el dedo por ninguna parte. Apreté los dientes para tener más fuerza y la grabadora se me cayó al suelo. Se abrió por el sitio de las pilas. No estaban. Seguro que se habían caído en una de aquellas pozas de agua color castaño como el chocolate, y no fui capaz de encontrarlas. Allí podía haber serpientes y no quise meter la mano.

—¡Vaya percance! —dije. Eso era un percance.

Tuvimos muy mala suerte de detectives. Nos habíamos quedado sin grabadora justo justo cuando, después de otro golpe grande, las voces empezaron a gritar más fuerte que nunca. Me puse un poco nervioso. En mi mano se posaron dos moscas que estaban pegadas la una a la otra. Pensé que eran abejas verdaderas. Blanca las enfocó con la linterna y huyeron.

—Están haciendo el amor —dijo—. Es así. Lo vi en el dibujo de un libro. Las otras seguro que duermen.

Me acordé de una cosa y se la dije a Blanca.

—¿Y si las moscas no fueran moscas? ¿Y si fueran almas de enamorados transmigrados? A lo mejor las voces eran las suyas...

Blanca se encogió de hombros. No lo sabía. Las voces continuaron todavía más fuertes:

—¡¡Aquí, aquí!! ¡¡Venid aquí!!

—¿Has oído, David?

—Sí... ¿Dónde estarán escondidas?

Soy valiente, pero me dio un poco de estremecimiento. Seguro que no era de miedo. Las botas estaban todas llenas de agua y tenía el pelo muy mojado. Sentía frío.

Seguimos junto al árbol. Se veía muy poco y el árbol se había hecho más grande de noche. Las voces se oían como si estuviéramos entre montañas, como un eco, o como si salieran de la grabadora, pero no. Blanca cogió una piedra y la tiró al aire al lado del árbol.

—¿Qué haces? ¡Por poco me das en la cabeza!

Desapareció entre las zarzas y sonó como si

hubiera ido a parar a un río de agua y piedras. Entonces cogió otra y volvió a tirarla. Oímos como si cayera en un pozo duro.

—Déjame el palo —dijo Blanca; yo ya no me acordaba de que lo llevaba—. Alúmbrame tú.

Lo cogió y empezó a golpear las zarzas mientras yo sujetaba la linterna.

—¡Cuidado, Blanca! Mira que si les pegas a las almas...

—Son zarzas. Sólo son zarzas. Las estoy aplastando. Así ya no pueden picar.

Me acerqué con cuidado. Blanca caminaba a mi lado. Las voces venían de debajo de las zarzas, pero allí no había nada.

—Davi, sujeta también el palo, que quiero mirar yo.

Cogí el palo, y Blanca fue pisando por encima de las zarzas aplastadas. Enseguida dio un grito terrible y desapareció por un agujero que había en el suelo.

—¡Blanca! —grité—. ¿Qué pasa?

No me contestó. Tuve miedo. Los espíritus la habían engullido hacia debajo de la tierra. Y yo no sabía qué hacer.

20 *El túnel de los espíritus*

ME acordé de que en el centro de la Tierra siempre hay monstruos horribles y me entraron muchas ganas de llorar. Ya no vería nunca más a mi novia. Miré hacia un lado y hacia el otro casi sin moverme, para que los espíritus creyeran que era una planta. Las plantas de verdad se convirtieron en sombras grandísimas. Apagué la linterna y la metí en el bolsillo. Miré al cielo. Por un agujero de las nubes negras vi aparecer la luna. Era como una linterna gigante que lo alumbraba todo. De las plantas salía un vapor como el de las tarteras de la comida. El cementerio se convirtió en una selva misteriosa.

Los detectives de verdad no debemos tener miedo. Sólo podemos buscar ayuda. Miré al frente y vi el muro. No eché a correr. Fui andando despacio. Quería respirar poco, pero me salía y entraba el aire muy deprisa.

Sólo oía el sonido de los grillos. Lo tenía dentro de mi cabeza. El ruido me venía de dentro, como si los grillos me hubieran entrado por la boca y por la nariz. Sabía que eso no podía ser. No hay grillos nariceros, los hay carniceros. Me lo enseñó papá, que es casi sabio.

Cuando estaba a punto de llegar al muro, empezó otra vez a llover muchísimo. Parecía que un ángel malo estaba tirándome piedrecitas de agua en la cabeza. Me paré. Solté el palo y me tapé con las manos. Los tambores de agua que golpeaban en las latas se escuchaban muy fuerte y sin parar. Después sonaban como la manguera echando agua en el taxi de mamá cuando lo lava. ¡Cómo me habría gustado que mamá hubiera venido a rescatarme!

Estaba pensando mucho cuando oí que me llamaban:

—¡David, baja!

«¡Ay, mamá!», pensé. «Ahora vienen a por mí».

Me llevé las manos a la cara para taparme la boca. Si se me escapaba el grito que tenía dentro, me descubrían seguro. Me notaba la cara muy caliente. Me ardía como aquella vez que Blanca tuvo que darme un tortazo para tener un pecado que confesar en la Comunión. También yo le había pegado a ella. Teníamos que juntar pecados. Ahora ya no nos haría falta. Se puede tardar un año entero, que es muchísimo, en confesarse, y no es pecado ni nada.

—¡Baja de una vez!

Era una voz de *espírita* o de diosa. La segunda vez parecía más enfadada. Me acurruqué junto al muro. Yo no quería, pero por culpa de la lluvia me empezaron a salir lágrimas mezcladas con mocos. Me acordé de Rita Novás cuando estaba aterrada por la palabra «transmigrar». Tenía mocos en la nariz como si fueran dos bolas verdes que daban asco.

—¡Baja, Davi, soy yo!

—¿Blanca? —respiré los mocos hacia dentro y me limpié la cara con una punta del anorak.

—Sí, Davi, no te asustes; soy Blanca. Aquí hay un túnel larguísimo. Baja.

—Sube tú. ¿Dónde estás? Ven...

—Baja. Los... los espíritus están en este túnel.

Me acerqué rápido. Con la voz de Blanca ya estaba mejor.

—¿Por dónde bajo? —le pregunté.

—Enciende la linterna y ven por el agujero.

Metí la mano en el bolsillo y saqué la linterna. La encendí.

—¡No veo el agujero! —dije cuando llegué cerca del árbol.

—¿No lo ves? Acércate más con la luz. Me duele mucho un pie. ¡Aquí, Davi!

La luz le hizo cosquillas en los ojos y encontré el sitio.

—Espera —le dije—. Antes voy a atar el cordel al árbol por si nos perdemos.

—¡Vale! Date prisa.

La voz de Blanca sonaba parecida a la de los muertos del cementerio, pero, aunque estuviera muerta, yo no quería dejarla sola. Me subí el cuello del anorak, metí la mano en el otro bolsillo y saqué el cordel de los chorizos. Solté un buen trozo y con él rodeé el árbol. Así no podía. Dejé la linterna y la pelota de cordel en el suelo, cogí una punta y di la vuelta alrededor del árbol hasta llegar otra vez a donde estaba la pelota. Para atarlo fue muy difícil. No era como el cordón de las botas. La otra punta era de pelota de cordel. La até y volví a coger la pelota y la linterna.

—¿Qué haces? ¡Venga, deprisa! —me decía Blanca.

—Ya voy. Estaba haciendo muchos nudos para que no se desate y no nos perdamos.

Me acerqué al hueco y metí la luz dentro. Blanca estaba encogida. Seguía lloviendo mucho. Así era peor. No se veía bien y no fue nada fácil bajar.

—Échame la linterna, Davi.

Se la lancé. La grabadora la perdí. No sabía dónde la había dejado. Me senté en el borde del

121

agujero y fui resbalando poco a poco. Me lastimé las manos con las espinas de las zarzas. Cuando bajé, se enganchó el anorak y oí cómo se rompía. Blanca se levantó y me agarró y yo me dejé caer con los ojos cerrados. Cuando sentí algo mojado y duro debajo de los pies, los volví a abrir.

—¡Anda! ¡Es una cueva!

—No, es un túnel. ¿No ves que es igual de grande por todas partes? Además es muy largo.

Blanca tenía razón. Era como el túnel de la autopista de ir a ver a la tía Lucha, pero éste era mucho más estrecho.

—¡Es larguísimo! ¡Puag! ¡Qué mal huele!

—Sí, huele que apesta. ¡Qué asco!

Allí dentro olía muy mal. Peor que cuando la bisa abría la puerta de su baño después de los ruidos. Era un túnel redondo. Parecía un tubo gigante. En la parte de abajo tenía bastante agua. Estaba muy sucia.

—¿Te has fijado, Davi? Cuando llueve, entra muchísima agua. Tenemos que descubrir el misterio antes de que se inunde todo.

—¿Y qué vamos a hacer?

—Iremos caminando hacia las voces. Por ese lado se oyen más. Están por aquí. ¡Vamos!

Empezamos a andar. A Blanca le dolía el pie y tuvimos que pararnos. Se respiraba mal. En aquel momento me acordé del respiro de la tía Sita y me habría gustado tenerlo allí.

—¿Te duele mucho, Blanca?

—Sí. Bueno, no. Sólo me duele por debajo, si ando.

De repente oímos unos ruidos muy fuertes.

—¡Son truenos, otra vez! —dijo Blanca.

Nos quedamos allí quietos mucho tiempo. Las voces de los muertos se mezclaban con la tormenta. El túnel tenía cada vez más agua.

—¿Has oído, Davi?

—Sí... ¡Nos llaman!

¡Nos estaban llamando! Se oía bastante bien:

—¡Blancaaa! ¡Daviiid!

El sonido del agua cayendo en el suelo se notaba encima de nuestras cabezas. Blanca me pidió que le sacara la bota. Tenía un nudo muy fuerte. Las botas atadas no salen y tuve que desatárselo con los dientes. Daba asco. Estaban llenas de barro sucio. Escupí y mordí el cordón muchas veces hasta que se la desaté. Tenía tierra en la boca.

—Ya me parecía —dijo Blanca—. Tenía una piedra dentro. Ahora ya podemos seguir.

Empezamos a caminar muy despacio.

—Abre las piernas, Davi. Así andamos sin pisar esta agua apestosa. Apóyate en las paredes con las manos. ¿Ves? Haz como yo. Date prisa.

Tengo las piernas y los brazos un poco más pequeños que los de Blanca y no podía ir muy deprisa. Las voces cada vez se oían más cerca. En medio de aquellos ruidos, alguien seguía llamándonos:

—¡Daviiid! ¡Blancaaa!

—Cuanto más caminábamos, más basura íbamos encontrando. Saber cómo había llegado hasta allí era otro misterio. Olía tan mal, tan mal, que Blanca dijo:

—¡Puag! Huele peor que todas las cacas de gata juntas.

Ahora ya oíamos con tanta claridad como si nosotros estuviéramos en el pasillo de la casa y los espíritus en la cocina.

—¿Tienes para matar?

—Sí que tengo.

—¡Mañana me vengaré!

Y sonó un golpe fuerte. Estábamos llegando al escondrijo de las almas. No podíamos hacer ningún ruido.

—¡Blanca, se nos está apagando la linterna!

—O no tiene pilas —dijo ella—, o está muy mojada, que también puede ser.

Cogí la linterna y quise secarla con mi camiseta. También estaba mojada. La apagué y volví a encenderla. Nada. Nos quedamos a oscuras. La oscuridad negra no me gusta.

—¿Sabes?

—¿Qué?

—Si los espíritus son negros, si no tienen luz, no vamos a poder verlos.

—Sí que tienen luz. Por lo menos en la barriga. ¿No te acuerdas?

—¡Ay, es cierto!

De repente, dos luces muy pequeñas empezaron a brillar cerca de nosotros. No nos movimos. Las luces tampoco.

Blanca me tocó con un dedo en la boca para que me estuviera callado, pero no pude.

—Alma del cementerio, deja que te veamos.

Nada más hablar, las dos luces se convirtieron en muchísimas más: diez, cien... o todavía más. Se empezaron a mover por todos los rincones. Me agarré muy fuerte a Blanca para que no tuviera miedo. Nos callamos otra vez. Sólo se oían las voces de los espíritus. Sabíamos que aquellas luces no eran las que hablaban. Estaban muy muy cerca y no eran.

—Han vuelto a quedarse quietas.

—¿Has visto? Se encienden y se apagan.

—A lo mejor son luciérnagas.

—No, las luciérnagas no corren.

Nos faltaba poco para descubrir el misterio. No podíamos dar la vuelta. Los detectives no regresan hasta que resuelven el caso, que se dice así.

—Tenemos que pasar por el medio, aunque sean espíritus.

—Éstos deben de ser pacíficos. Los que hablan de matar son otros. Allí sí que tenemos que andarnos con cuidado.

—Si vemos que es muy peligroso, nos escapamos corriendo.

Miré hacia atrás. Ya habíamos andado mucho y estaba todo oscurísimo.

—No sé cómo vamos a volver. No se ve nada de nada.

—Siguiendo el cordel, Davi. Vas enrollando el ovillo como hace tu abuela con la lana, y yo me agarro a ti y ya está.

—¡Ay, el cordel!

—¿Qué pasa?

—¡No aparece! ¡No lo tengo!

—¿Y ahora, Davi? Yo no quiero vivir en el mundo de los muertos para siempre.

—Se me ha debido de caer cuando te he quitado la bota y no me he dado cuenta.

—Ahora tenemos que hacernos amigos de los espíritus como sea. Nos tienen que ayudar a regresar.

Yo me acordé de las cosas terribles que había oído. No era capaz de pensar que pudiera haber espíritus buenos. Además, se reían muchísimo y hablaban todos a la vez. Eran espíritus maleducados.

Las luces pequeñas habían desaparecido. No muy lejos se veía una luz distinta. Alumbraba poco, pero era grande. Caminábamos despacio. Yo rezaba para que no apareciera ninguna serpiente. Blanca decía:

—Recorazón de la recorazonería.

De repente pisé algo que empezó a chillar.

—¡He pisado un espíritu!

—¡Son ratas, Davi! Seguro que son ratas. ¡Qué asco!

Enseguida levanté el pie. La rata no es la novia del ratón, nos lo explicó la profe. Es más grande y más asquerosa. Blanca se acordó del bote de matar bichos y metió la mano en el bolsillo. Así las haría huir.

—¡No lo tengo! ¡Se me ha caído!

—Es mejor que demos la vuelta.

—Ahora no podemos volver sin encontrar a los verdaderos espíritus para que nos ayuden.

Yo también metí la mano en el bolsillo por si me quedaba alguna cosa de detective. No encontré nada más que un trozo de bizcocho hecho migas. No quería comer aquello. Teníamos que seguir adelante. La claridad que venía de la parte de arriba del túnel estaba cerca y las ratas ya habían huido. Pasamos temblando. No queríamos volver a pisar otra.

Cuando estábamos a punto de llegar a la luz, se oyó un ruido fuerte, un trueno. La luz desapareció otra vez.

—No te muevas, ¿vale? —me dijo Blanca—. Esperaremos hasta que se vea.

—¿Y si tenemos que estar aquí muchos días? ¿Y si no podemos volver nunca más a casa?

—Mi padre nos encontrará. Ya lo verás.

—No puede, Blanca. Aquí no nos encuentra nadie.

—Pues tendremos que comer ratas asquerosas, como los primitivos.

—Yo no pienso comérmelas. Prefiero las migas del bizcocho.

Sentía mucho frío en las manos. No podía juntar los dedos ni dar puñetazos para defenderme de alguien.

—Vamos a morir congelados como los pescados del súper.

—No, Davi —Blanca me besó.

Nos arrimamos mucho el uno al otro. Estuvimos así quietos tanto tiempo que se me gastaron los pensamientos. Me entró sueño. El frío se me colaba por las manos hasta la barriga. De repente...

—¡Eh!, ¿qué es eso? —gritó Blanca.

—¿El qué? Yo no he visto nada.

—Oigo ladridos en el túnel.

—¡Ay, Blanca! Si me metes miedo, no voy a casarme nunca contigo.

—Vale, pero es cierto que he oído un ladrido.

—Será Rambo, aquel perro estúpido que tenían los señores de la farmacia de antes. A lo mejor se murió y ahora es otro espíritu.

—No sé... Davi, ¿tú no le has dicho a nadie que veníamos al cementerio viejo?

—No. Era un secreto. ¿Tú sí?

—No... Lo que pasa es que he dejado mi testamento, como mis abuelos, por si no volvía.

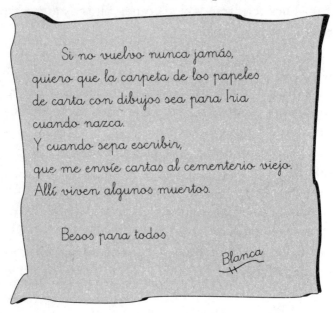

Si no vuelvo nunca jamás,
quiero que la carpeta de los papeles
de carta con dibujos sea para Iria
cuando nazca.
Y cuando sepa escribir,
que me envíe cartas al cementerio viejo.
Allí viven algunos muertos.

Besos para todos

Blanca

—Yo no he dejado testamento —sentí cosquillas en los pies—. Blanca, ¿estás tocándome los tobillos?

—¡No!

—¡Son las ratas!

—¡Aaaaaah! —lanzamos un grito los dos a un tiempo y millares, que son muchísimos, millares de ojos comenzaron a correr.

—¡Demonios! ¿Qué pasa ahí? —así de bien se escuchó la voz de un espíritu.

Las ratas huyeron por donde nosotros habíamos venido. Nos callamos para que no se enfadasen aquellos fantasmas que no podíamos ver. Volvimos a oír el ruido del trueno y la luz empezó a entrar por aquel hueco del techo. Estaba casi encima de nuestras cabezas.

—¿Hay alguien ahí? —preguntó otra vez la voz.

Nosotros nos quedamos muy quietos muy quietos. La luz no se apagó y los ruidos casi nos tocaban en las orejas.

—Seguro que están celebrando alguna fiesta —me susurró Blanca al oído—. Se oyen muchas risas.

—¡Se oye la tele!

—¡Y música!

—¡Y huele a café!

Se oían voces que no eran las nuestras. Eran los espíritus, que ya estaban allí. Teníamos que pensar cómo íbamos a hacer para verlos sin que nos descubriesen. No sabíamos qué nos harían si nos encontraban en su territorio.

22 *Caso resuelto*

No sabíamos cuál de los dos iba a sacar la cabeza primero por el hueco del techo. A lo mejor los espíritus nos la cortaban.

—¿Y si la cabeza del cementerio era de alguien que quiso investigar?

A veces Blanca dice cosas feísimas que me hacen poner cara de que me aprietan mucho los zapatos. Así que yo no quería ser el primero en sacar la cabeza, ni tampoco que la sacase ella.

—Si se te llevan a ti, ¿yo qué hago?

—¡Cabemos los dos al mismo tiempo!

Y eso fue lo que hicimos. Al principio no llegábamos. El hueco parecía una chimenea. Era muy alto.

—Vamos a tener que gritar para que nos ayuden.

—No, espera. ¿Y si nos echan algo malo desde arriba?

—¿Entonces qué hacemos?

—Ya lo sé. Ayúdame, Davi. Tenemos que juntar toda esa porquería para hacer un montón.

Casi sin respirar y sin hablar, fuimos juntando muchas cosas que había por allí alrededor.

—¡Aquí hay una caja dura!

—Tráela. No grites.

Pusimos la caja encima de aquel montón de basura. Nos subimos. Metimos la cabeza y... ¡Era una habitación grande! Muy cerca de nuestras cabezas había un cajón de madera. Parecía un arcón como el que tiene mamá en la entrada del pasillo.

—Con esto seguro que tapan el agujero para esconderse de los vivos —dijo Blanca.

Lo más importante fue que lo descubrimos todo. ¡Allí estaban los espíritus del cementerio viejo! Casi no nos lo podíamos creer.

—¡Pero si los muertos son como los vivos! —Blanca lo notó enseguida.

—¿Qué hacemos ahora? —pregunté yo.

Pensamos que lo mejor era esperar un poco, a ver qué era lo que hacían. Si no estaban en guerra, podíamos pedirles que nos ayudaran a volver a casa y que no asustaran más a la gente de nuestra parroquia.

Blanca y yo pudimos vernos las caras después de mucho tiempo. Las teníamos muy sucias.

Allí había un bar como los de la tierra. Tenía una barra y un espíritu que la atendía. También había mesas con sillas y una diosa del cementerio con delantal. Estaba secando unas tazas blancas.

—¿Será Ollá?

—No sé. Se parece a una señora que yo conozco.

Algunos muertos estaban sentados, otros de pie... Nosotros seguíamos sin saber qué hacer. No parecían tan malos. ¿Por qué habrían arrancado aquella cabeza? ¿Sería uno de ellos? Por allí no se veían más cabezas sueltas. Como somos detectives, teníamos que denunciarlos. Seguro que hay una cárcel para ellos.

Hacían tantísimo ruido que nosotros podíamos hablar bajito, sin que nos oyeran.

—Si hay gente que no tiene cabeza, puede ser porque haya cabezas sueltas...

—¿Has visto, Davi? Algunos espíritus se parecen a gente de la parroquia.

—No es tan raro. Seguro que los de la parroquia son transmigrados de éstos. ¿No te acuerdas de que lo hablamos en el cole?

—Sí... Lo que pasa es que yo... yo prefería que fueran espíritus de los otros.

—¿De cuáles, Blanca? ¡Nosotros nunca hemos visto ninguno!

—Pues esqueletos, nubes de polvo... No sé..., otros...

A nuestros pies sonó de repente un ladrido. No pudimos aguantar un grito grandísimo.

—¡¡Aaaaah!!

Subimos tan deprisa a aquella habitación de espíritus que parecíamos ángeles con alas. Los muertos también se asustaron y se pusieron a gritar cuando nos vieron.

—¡Aaaaah! ¡Éstos vienen del infierno! ¡Qué caras, Dios mío!

—No os asustéis —les dijo Blanca—. Nosotros sólo venimos a pediros una cosa.

—¿Quién demonio sois? ¿De dónde venís? —preguntó un alma barbuda.

—Del otro mundo. Queremos volver enseguida. Nos tenéis que ayudar. Sólo hemos venido para pediros que no hagáis tanto ruido. Asustáis a los vecinos y a las vecinas de nuestra parroquia.

Hacían que sí con la cabeza, pero no decían nada. Las bocas se les habían quedado muy abiertas.

La diosa que secaba la loza dejó caer al suelo varias tazas. Se rompieron y, en vez de recoger los pedazos, se puso de rodillas mirando hacia arriba y rezando.

El ladrido que nos había asustado era de un Tor transmigrado, que saltó dentro de la habitación de los muertos con nosotros. Se nos acercó moviendo el rabo. A lo mejor nosotros también éramos almas que nos habíamos muerto de miedo. Detrás del perro apareció un hombre con la cara toda negra. Negra, pero negra sucia. No era un señor de color.

—¡David! ¡Blanca! ¿Qué estáis haciendo aquí?

Era la voz de mi padre. Un transmigrado le había cogido su voz. Los muertos estaban cada vez más asustados.

—¿Por qué no sois esqueletos si estáis enterrados en el cementerio viejo? —les pregunté.

—¿Qué pasa aquí? —dijo el transmigrado mirándolos a todos—. ¿Qué le habéis hecho a mi hijo? —se empeñaba en que yo era su hijo y me quería agarrar, pero yo no le dejé.

Los muertos tenían teléfono y todo. Llamaron a la policía de los espíritus. El transmigrado, que podía ser un fantasma negro, cogió un paño que había allí y empezó a limpiarse la cara. Cada vez se parecía más a mi padre.

—¡Papá! —grité enseguida.

—¡Señor Pepe! —gritó Blanca.

—¿Qué habéis hecho? —dijo papá.

Y tuvimos que contarle todo todo, incluso delante de los muertos, que empezaron a cambiar de cara y ya no estaban asustados.

Mientras nosotros hablábamos de lo que había estado pasando desde hacía muchos días, aparecieron allí unos señores policías, pero de esos que no son detectives ni nada. También entraron mamá y los padres de Blanca, que enseguida la abrazaron.

—¡Ay, nena, qué susto tan grande! Menos mal que has dejado la nota —se referían al testamento de Blanca.

Estábamos todos abrazados, y los muertos muy contentos a nuestro alrededor. Nos querían invitar a un refresco, pero mamá quiso que nos fuéramos de allí.

Tuve que estar dos horas dentro de la bañera con jabón quitamanchas como si fuera ropa, pero ya pasó todo.

De esa manera descubrimos el misterio del cementerio viejo. Ayer por la tarde, cuando papá y los padres de Blanca regresaron a casa, al ver que no estábamos, llamaron a mamá y a la policía. La madre de Blanca encontró encima de la mesilla de la habitación de Blanca el testamento. Así supo que a lo mejor estábamos en el cementerio viejo, y allí se fueron todos.

—¡David, Blanca! —no paraban de llamarnos.

Tor también quiso ir. Dieron muchas vueltas y encontraron el agujero. Cerca de allí estaban la grabadora y el tubo de matar bichos. También vieron las zarzas aplastadas y el cordel atado al árbol. Con esas pistas, papá le dio a oler a Tor y lo metió por el túnel. Él fue detrás.

Como aquellos días había llovido tanto, el agujero se hizo más grande; por eso se escuchaban los ruidos y las voces de los de la otra taberna. Sobre todo cuando el aire venía de abajo, que se llama del sur.

El túnel no es un túnel túnel. Es un tubo; bueno, son muchos tubos de cemento pegados que pusieron hace muchísimos años en la parroquia. Eran para llevar agua desde el embalse del Puente Viejo hasta la ciudad. Pero después decidieron que fuera por otro sitio.

El dueño de la tienda de abajo hizo un cuarto grande encima del sitio por donde pasaba el tubo. Tenía el suelo de tierra. Un día quiso hacer un agujero para meter allí las bebidas, que así están más frescas, y se encontró con el tubo. Mientras no solucionaba ese problema, puso encima un mueble pequeño de guardar botellas. Algunas veces, para volver a llenarlo, lo retiraba. Al fin lo descubrimos todo.

Aquellos muertos estaban vivos. No eran muertos de verdad. Eran unos señores que salían de trabajar e iban a jugar una partida a la taberna de abajo. Los tubos los dejaron allí. Total, estaban tapados.

Quedaba una cosa grave que no la descubrimos hasta hace muy poco.

—Papá, en el cementerio viejo hay cabezas vivas que andan solas.

—Sí, señor Pepe. Yo también he visto una.

—¿Vosotros os dais cuenta de lo que decís?

—Es cierto, señor Pepe. Una se volvió hacia nosotros, abrió los ojos y se echó a reír.

—¿Estáis seguros?

—¡Sííí! —gritamos los dos.

Fuimos con papá a enseñarle la cabeza viva. Entramos por la verja. Papá le había pedido las llaves al alcalde, que es el dueño del cementerio viejo, pero no es dios de allí ni nada. Entramos corriendo arrastrando a papá hasta el sitio donde estaba el cadáver, que se dice así.

—¿Cómo no me lo dijisteis ayer por la noche?

—Tenía sueño y hambre —dije yo.

—Estábamos muy asustados —contestó Blanca.

Papá se preocupó. A nadie le gusta resolver casos de cabezas de muertos vivos. Cuando estábamos cerca, empecé a notar que me quedaba sin culo. Lo estaba apretando tanto que sólo tenía piernas.

—Era por ahí —le enseñé el sitio para que él fuera delante.

Papá, que sigue siendo casi sabio, caminó un poco y dijo:

—¡Anda, mira dónde está!

Nosotros no quisimos acercarnos por si las cabezas se despertaban. Papá se agachó y cogió algo.

—¿Era esto?

—Tenía la cabeza en una mano y los brazos y las piernas en la otra.

—¡Es un bebé! —gritamos.

—¡Es un muñeco! —se rió papá.

Y nos reímos todos.

Así descubrimos el misterio del cementerio viejo. Somos los mejores detectives del mundo. ¿A que mola?

Índice